SCHEVE-
NINGEN

AFGESCHREVEN

Wat anderen zeggen over “Hoe LinkedIn nu ECHT gebruiken”

“Eindelijk iemand die uitlegt waarom LinkedIn nuttig is. Als typische Gen X’er begon ik gefrustreerd te raken door het feit dat steeds meer mensen praten over de voordelen en het plezier van LinkedIn. Toen ik het eenmaal begreep, heb ik onmiddellijk een profiel gemaakt en ben ik direct begonnen met connecties te leggen. En als ik het kan, kan iedereen het!”

Hubert Vanhoe, Vice President, USG People België, www.usgpeople.com

“Netwerken laten de arbeidsmarkt gesmeerd lopen. Massa’s vacatures raken ingevuld via informele circuits. Door de structurele schaarste aan arbeidskrachten zien werkgevers zich verplicht alternatieve rekruteringskanalen aan te boren. Bij het zoeken naar werk of wanneer je als bedrijf het juiste talent wil aantrekken, kunnen sociale netwerken zoals LinkedIn dan ook daadwerkelijk het verschil maken. Lees ‘Hoe LinkedIn nu ECHT gebruiken’ en vergroot je kansen op de arbeidsmarkt!”

Fons Leroy, Gedelegeerd bestuurder, Vlaamse Dienst voor Arbeidsbemiddeling en Beroepsopleiding (VDAB), www.vdab.be

“Ik gebruik LinkedIn nu al een tijdje, maar tot nu toe alleen maar om contact te zoeken met mensen die ik al ken. Met dit boek krijg je echt inzicht en bruikbare tips over hoe je LinkedIn kunt gebruiken om echt de kracht van je netwerk in te schakelen. Het boek heeft mij geholpen sneller en gemakkelijker mijn doelen te bereiken. Bedankt dat je dit met ons hebt willen delen, Jan. Ten zeerste aanbevolen voor iedereen die beter gebruik wil maken van zijn of haar netwerk!”

Frank Opsomer, Sales Manager Partner Sales Organisation BeLux, Sun Microsystems, www.sun.com

“Fantastisch om een boek te lezen dat praktisch is en voorbeelden geeft van hoe je je netwerkdoelen kunt bereiken. Bedankt, Jan!”

Mary Roll, Career Services Manager International MBA Program, Vlerick Leuven Gent Management School, www.vlerick.com

“Online business networking is een heel hot topic. Veel mensen weten echter niet hoe ze écht gebruik moeten maken van websites als LinkedIn. ‘Hoe LinkedIn nu ECHT gebruiken’ doet meer dan een antwoord geven. Ten zeerste aanbevolen!”

Astrid De Lathauwer, Chief Human Resources Officer, Belgacom, www.belgacom.com

"Als er één boek is dat je dit jaar moet kopen, dan is het dit boek. Social networking is het nieuwe marketing medium en LinkedIn loopt voorop. Jan deelt alle geheimen en strategieën op een bondige en eenvoudige manier, en hij is zonder twijfel de meester van LinkedIn. Het maakt niet uit in wat voor business je zit, dit boek bevat alle tools die je helpen meer connecties te leggen en je productiviteit te verhogen!"

Frank Furness, Bestselling auteur en internationaal spreker, www.frankfurness.com

"De tijd dat het volstond degelijke producten te maken of goede diensten te leveren om het te redden als zelfstandige ondernemer, die is voorbij. Ondernemen doe je niet meer op een eilandje. Vakmanschap, werklust en creativiteit blijven de kern maar communicatie, PR, je product of dienst verkopen; winnen steeds meer aan belang. Een goed netwerk uitbouwen is daarom een noodzaak als moderne ondernemer. 'Hoe LinkedIn nu ECHT gebruiken' legt eenvoudig, stap-voor-stap, uit hoe je het maximum kan halen uit LinkedIn, één van de instrumenten daartoe!"

Karel Van Eetvelt, Gedelegeerd Bestuurder, Unizo, www.unizo.be

"Voor een marketer is networking de hoeksteen waarop z'n werk rust. Met de opkomst van de nieuwe sociale netwerken is het onontkoombaar deze vaardigheden verstandig te gebruiken. Met dit boek heb ik mijn sociale netwerkvaardigheden op LinkedIn kunnen verfijnen, en het heeft me geholpen te focussen op het beter profileren van mezelf, teneinde het meeste uit mijn netwerk te halen!"

Mic Adam, Director - Executive Center of Innovation, Unisys, www.unisys.com

"Gedurende vele jaren heeft Jan een solide reputatie opgebouwd als een autoriteit op het vlak van netwerken. Persoonlijk heb ik veel gehad aan zijn vorige boek 'Let's Connect!' en zijn trainingen. In dit nieuw boek grijpt Jan terug naar netwerk principes die hun nut hebben bewezen en voegt er strategieën aan toe die direct in de praktijk toe te passen zijn. Dit boek is een absolute aanrader voor iedereen die netwerken op een goede manier wil aanpakken en die de potentiële goudmijn die LinkedIn is, wil ontdekken!"

Ago Cluytens, Global Head of Marketing, ING Private Banking, www.ing.com

"Hoewel ik al jaren een professioneel spreker ben over netwerken, duurde het toch drie jaar voor ik de echte kracht van LinkedIn doorhad. Nooit tevoren was het mogelijk om de tweede en derde graad van je netwerk te ontdekken. LinkedIn biedt al een grote toegevoegde waarde als je het voor zakelijke doeleinden wil gebruiken, maar de echte magie zit in de verbindingen tussen de juiste mensen en netwerken die proberen de grote uitdagingen op te lossen waar we als mensen voorstaan door ons toe te laten ons sociaal kapitaal op een veel slimmere manier te gaan benutten. Om te begrijpen waarom en hoe, lees dit boek!"

Martijn Aslander, Lifehacker – Connector – Resourcerer & Professioneel Spreker op evenementen, www.martijnaslander.nl

"Ben je bereid om anders te denken? Ben je bereid het traditioneel beeld m.b.t. het gebruik en inzetbaarheid van internet in vraag te stellen? Jan Vermeiren geeft ons de juiste inzichten m.b.t. de kansen om ons professioneel netwerk uit te breiden en ervaringen uit te wisselen met professionals in andere sectoren!"

Henno Vos, Managing Director, Flevum Forum Network, www.flevum.nl

"LinkedIn was voor mij de zoveelste website om met mensen te connecteren. Aangezien ik zelf niet echt de toegevoegde waarde er van zag, ging ik enkel naar de website wanneer iemand me een uitnodiging stuurde. Na het lezen van 'Hoe LinkedIn nu ECHT gebruiken' gingen mijn ogen open en de ideeën bleven maar komen. Ik had er geen idee van dat LinkedIn zoveel potentieel had. LinkedIn veranderde van een 'dertien-in-een-dozijnerige' website naar één grote opportuniteit! Als je je netwerk wil opbouwen, maar je hebt geen idee waar te beginnen of je hebt niet echt veel tijd, begin dan direct dit boek te lezen! Het is gemakkelijk begrijpbaar, heel praktisch en vol 'tips & tricks'. Tot op LinkedIn!"

Ellen Van Bossuyt, Jr Academy Manager, Euphony Benelux, www.euphony.com

"Om het heel eenvoudig te stellen: 'Hoe LinkedIn nu ECHT gebruiken' is een must voor iedereen die zijn of haar bedrijf wil laten groeien door te netwerken. Zelfs als je al lid bent van een netwerk of referral organisatie, dan nog biedt Jan Vermeiren je krachtige, geavanceerde strategieën waarmee LinkedIn je kan helpen om nog meer uit je lidmaatschap te halen!"

Ivan Misner, NY Times Bestselling auteur en stichter van BNI, www.bni.com

"Als je net zo bent als ik, kan het een behoorlijke uitdaging zijn om je weg te vinden op een geavanceerde networking tool als LinkedIn. Jan Vermeiren heeft het allemaal vereenvoudigd. Niet alleen door in gemakkelijke stappen te beschrijven hoe LinkedIn een effectieve tool is om de juiste contacten en klanten voor je zaak te krijgen, maar ook door het bieden van een onschatbare kennis over de grondbeginselen van intelligent netwerken. De weinige tijd die het je kost om dit zeer interessante boek te lezen zal je letterlijk uren online werk besparen - en een snelle en positieve impact op je carrière of zaak hebben!"

Paul du Toit, Certified Speaking Professional, Managing Director van de Congruence Group, Zuid Afrika, www.pauldutoit.net

'Hoe LinkedIn nu ECHT gebruiken' verschaft enorm veel inzicht in een nieuwe vorm van sociale media en de volgende generatie communicatie en biedt uitermate zinvolle ideeën in een gemakkelijke leesbaar formaat. Perfect voor elke leeftijd!

Dr. Nido Qubein, President, High Point University en Chairman, Great Harvest Bread Company, www.nidoqubein.com

"Als LinkedIn-gebruiker met meer dan 600 connecties en als actieve blogger sinds 2004 weet ik wanneer een boek echt waardevol is. En dit boek zit propvol met waardevolle kennis en tips! Je zult in dit boek meer goede, snelle en eenvoudige antwoorden vinden dan in enig ander vergelijkbaar boek. Ik heb alle andere boeken gelezen en ervan geleerd, maar dit boek is geschreven door iemand zoals ik: een professionele spreker en auteur, een onderwerpexpert wiens voornaamste product zijn eigen persoon is en het talent dat hij heeft. Elke pagina is gemakkelijk leesbaar en eenvoudig toe te passen. Koop dit boek en laat het op je bureaublad liggen, net zolang tot je duizenden hoogwaardige connecties je continu brengen waar je naar op zoek bent!"

Jim Cathcart, auteur van "Relationship Intelligence®: Who's Glad To Know You?" http://cathcart.com

"Als er één geheim is dat zakelijk succes kan creëren, dan is het wel 'networking'. Jan Vermeiren's nieuwe boek 'Hoe LinkedIn nu ECHT gebruiken' is een krachtige tool dat je helpt het eeuwenoude concept van relaties aangaan te implementeren en met 21-eeuwse tools te maximaliseren!"

Don Boyer, createur van de boekenserie 'The Power of Mentorship', www.DonBoyerAuthor.com

"In de afgelopen jaren is LinkedIn uitgegroeid tot een fantastische netwerk tool voor ondernemers en managers. Helaas zijn er maar weinig mensen die zich van de kracht van deze website bewust zijn, vaak omdat het de meeste mensen aan kennis ontbreekt. Daarom ben ik zo blij dat Jan het initiatief heeft genomen een boek te schrijven over LinkedIn. Als netwerkexpert is hij de persoon bij uitstek om zijn inzichten te delen en praktische tips te geven. Dankzij 'Hoe LinkedIn nu ECHT gebruiken' kunnen we LinkedIn nu in een krachtige tool omzetten, die ons helpt bij het zoeken naar nieuwe zakelijke relaties of het opbouwen van ons netwerk!"

Peter Desmyttere, Marketing consultant voor ondernemers,
www.peterdesmyttere.com

"Ik dacht dat ik alles al wist dat er te weten valt over het gebruik van LinkedIn. Maar na het lezen van Jan Vermeiren's laatste boek ben ik nu in staat om sneller connecties te leggen met profielen van hoog niveau en meer waarde te halen uit mijn LinkedIn netwerk dan ooit. Ik kan je het lezen van dit boek en het implementeren van de lessen daaruit ten zeerste aanbevelen!"

Byron Soulopoulos, CEO, Brian Tracy Benelux, www.briantracy.be

"Na het lezen van 'Hoe LinkedIn nu ECHT gebruiken' ben ik beter in staat mijn lijst van professionele zakelijke contacten te beheren. Het is ook gemakkelijker om potentiële business te vinden en wereldwijd beter contact te hebben met professionals. Ik ontmoette Jan voor de eerste keer tijdens een seminar over sponsorship en heb sindsdien vele van zijn interessante online publicaties over networking gelezen, omdat dit type networking in de toekomst steeds belangrijker zal worden. Het opent veel deuren voor mijn professionele dagelijkse communicatiewerk!"

Philiep Caryn, International Communication & Sponsorship Quick-Step,
www.qsi-cycling.com

"Engelstalige mensen zullen het gezegde kennen: 'Cometh the hour, cometh the man'. In het geval van dit boek zouden we met recht kunnen zeggen: 'Cometh the technology, cometh the book'. Jan Vermeiren's nieuwste boek, 'Hoe LinkedIn nu ECHT gebruiken', is een belangrijk naslagwerk voor iedere professional die serieus geïnteresseerd is in de kracht van social networking. Het boek is veel meer (en veel nuttiger) dan een gebruiksaanwijzing. Je zult hier uitstekende strategieën vinden om het beste uit deze technologie te halen en informatie over wat er bijvoorbeeld allemaal beschikbaar is in de verschillende niveaus van lidmaatschappen. Ik heb er geen enkele twijfel over dat LinkedIn zichzelf de laatste tijd enorm heeft ontwikkeld en dat dit boek op het juiste moment is gepubliceerd om mensen te helpen het gebruik van deze website te optimaliseren!"

Chris Davidson, Managing Editor,Professional Speakers Journal,
www.ProfessionalSpeakersJournal.com

'Hoe LinkedIn nu ECHT gebruiken' van Jan Vermeiren heeft me echt de ogen geopend wat betreft de mogelijkheden die LinkedIn biedt en hoe je deze site op een heel efficiënte en effectieve manier kunt gebruiken. Ik ben lid van LinkedIn maar ben niet geneigd om er al te veel tijd aan te spenderen. Door dit boek ben ik echter helemaal van gedachten veranderd, doordat ik nu de mogelijkheden en kansen zie, en ik zal vanaf nu meer tijd op LinkedIn besteden, met het boek van Jan als mijn gids!

Menno Siebinga, ondernemer, martiaal kunstenaar, organisator van het Body&Brein Festival (Nederland) en stichter van de Siebinga-methode, www.teamsiebinga.com

"Als netwerk coach en trainer ontmoet ik veel mensen die op LinkedIn zitten, maar dat op een tamelijk passieve manier gebruiken. Jan's boek 'Hoe LinkedIn nu ECHT gebruiken' maakt heel goed duidelijk wat voor een krachtige tool LinkedIn is en als je het boek leest kun je niet wachten om er meteen mee te beginnen!"

Daphne Medik, netwerk coach en trainer, DMM Communication, www.dmmcommunication.nl

"Dit boek is een 'must read' voor iedereen die zijn of haar netwerkvaardigheden wil verbeteren en gebruik wil maken van de online tools voor networking, in het bijzonder LinkedIn. Jan biedt hiervoor een praktisch en uitgebreid hulpmiddel met een groot aantal strategieën die dagelijks kunnen worden toegepast. Als internationaal productiviteitsexpert ben ik vaak op zoek naar waardevolle hulpmiddelen die ik mijn klanten kan aanbevelen waarmee ze hun persoonlijke en professionele productiviteit kunnen vergroten - dit boek kan ik ten zeerste aanbevelen. Op basis van het fundament van de Gouden Driehoek van Netwerken benadrukt Jan de noodzaak om te geven, te vragen en te bedanken. Doe jezelf een plezier en investeer je tijd en energie in het lezen van dit boek en het toepassen van de de principes die erin beschreven staan. Je zult er geen spijt van krijgen!"

Neen James, internationaal productiviteitsexpert, www.neenjames.com

"Dank je wel, Jan, voor het nogmaals delen van je kennis en inzichten over networking. Ik zit al een tijdje op LinkedIn maar wist altijd dat ik dit niet ECHT optimaal gebruikte. Ik weet nu waarom en hoe ik dat kan veranderen. 'Hoe LinkedIn nu ECHT gebruiken' geeft me de inzichten en methodes om het beter te doen. En in het bijzonder stimuleert het me om in actie te schieten na de eye openers die je me geboden hebt. Te meer omdat de voordelen heel duidelijk en relevant zijn. Krachtig en empowering!"

Katharina Müllen, Transition Manager & Vitality Mentor, WinVitality www.winvitality.eu

"Mij word door steeds meer mensen gevraagd hoe je LinkedIn op een effectieve manier kunt gebruiken. Mensen worden zich meer bewust van de kracht en het belang ervan, zowel voor individuen als voor bedrijven. Het is Jan weer gelukt om een duidelijke, bondige en zeer leesbare gids te schrijven. 'Hoe LinkedIn nu ECHT gebruiken' zal in slechts 200 pagina's beginners omvormen tot geavanceerde LinkedIn netwerkers. Lees het boek, volg de stappen en zie de resultaten jouw kant op komen!"

Andy Lopata, Business Networking Strategist en co-auteur van 'Building a Business on Bacon and Eggs' en '...and Death Came Third! The Definitive Guide to Networking and Speaking in Public', www.lopata.co.uk

"Jan heeft het weer eens voor elkaar gebracht! Hij heeft weer eens laten zien dat hij dé netwerkexpert is. Niet alleen op gebied van live networking, maar ook op LinkedIn!"

Eric Eraly, auteur van 'The Easy To Quit Smoking Method', www.EnjoyQuitSmoking.com

"Hoewel delen van de technologie die in dit boek wordt besproken misschien zullen veranderen, zijn de principes van netwerken en communicatie de sleutel voor het hebben van een succesvolle ervaring op LinkedIn. Leef volgens het 'gevers winnen' principe en LinkedIn zou de beste zakelijke tool die je gebruikt kunnen worden!"

Jason Alba, CEO van JibberJobber.com en auteur van 'I'm on LinkedIn – Now What???', www.imonlinkedinnowwhat.com

"Terug in 2004 was LinkedIn het eerste online netwerk waar ik lid van werd, en vandaag de dag is het nog steeds één van de grootste wereldwijde netwerken. In de laatste jaren werden er veel nieuwe mogelijkheden en tools aan toegevoegd en het werd dan ook tijd dat er iemand een uitgebreide handleiding schreef over het gebruik van deze briljante website. Gefeliciteerd Jan, 'Hoe LinkedIn nu ECHT gebruiken' doet precies wat het zegt op de omslag, het is namelijk de beste en meest complete gebruiksaanwijzing over LinkedIn ... Hier zaten we op te wachten!"

Geert Conard, Managementconsultant en auteur van 'A Girlfriend in Every City', www.geertconard.com

“Ik heb veel boeken over networking gelezen en de meeste daarvan doen niets anders dan oude dingen herkauwen. Jan heeft echter met z’n boek een grens overschreden, namelijk door één van de meest onderbenutte tools onder de loep te nemen waarover alle effectieve netwerkers vandaag de dag kunnen beschikken: LinkedIn. Nu de netwerkrevolutie wereldwijd de aandacht van iedereen begint te trekken, schuiven online netwerksystemen als LinkedIn naar de voorgrond. Jan beschrijft enkele echt bruikbare strategieën om gebruik te maken van dit krachtige gereedschap. Dit boek is absoluut een ‘must have!’”

Adam J. Kovitz, CEO, Stichter & uitgever ‘ The National Networker’, http://thenationalnetworker.com

“Jan deelt zijn geheimen van het op succesvolle wijze gebruik maken van de kracht van je netwerk op LinkedIn. Het is verbazingwekkend wat voor krachtige tool dit is als je het op de juiste manier gebruikt!”

Scott Bradley, Social Media Specialist, www.NetworkingEffectively.com

“Als praktische doe-handleiding bevat dit boek alles wat je zou moet weten over LinkedIn. En persoonlijk vond ik het inderdaad héél nuttig!”

Mike Southon, Financial Times columnist en co-auteur van ‘The Beermat Entrepreneur’, www.beermat.biz

“Een echt nuttige verzameling strategieën om je netwerk op te bouwen - stap voor stap, persoon na persoon. Met de 3 stappen van ‘Know, Like and Trust’ laat Jan Vermeiren zien hoe je kunt werken aan het opbouwen van een echt bruikbaar en gevarieerd netwerk. Networking wordt daardoor een dynamische mix van offline en online netwerken, waarbij 3 vragen nog steeds nuttig voor me zijn: Wie ben je?, Hoe ben je? En Hoe kan ik je helpen? Het verschil bij online networking is de directheid en snelheid waarmee ik grote aantallen mensen kan bereiken. Networking vraagt maar een klein beetje van mijn werktijd en een consistente focus om het echt effectief te maken. Stel jezelf je doelen en gebruik dan de direct toepasbare strategieën uit ‘Hoe LinkedIn nu ECHT gebruiken’!”

Nathaniel Stott, Life Architect, www.lifearchitect.eu

"Ik dacht dat ik al veel wist over LinkedIn, maar 'Hoe LinkedIn nu ECHT gebruiken' gaat op heel eenvoudige wijze in op alle functies en processen van LinkedIn. Jan, je bent iemand die ook een expert op het gebied van 'live' networking is, en van alle mensen bij jij de enige die in staat is geweest de verbinding te maken tussen de online en offline netwerksystemen en -principes. Dit zal er zeker voor zorgen dat het boek hoog ingeschat zal worden door mensen die moderne allround netwerkers willen worden!"

Will Kintish, UK authoriteit op het gebied van business networking vaardigheden, www.kintish.co.uk

"We leven in een wereld waarin technologie een grote impact heeft op alles wat we doen, en in het bijzonder op de manier waarop we relaties aangaan. Hoewel persoonlijke interactie belangrijk blijft, laat Jan ons zien hoe LinkedIn de regels van het spel veranderd heeft en maakt hij duidelijk dat deze website een must is voor iedereen die relaties wil onderhouden en vooruit wil komen in zijn of haar carrière!"

Jason Jacobsohn, networking-personaliteit uit Chicago, www.NetworkingInsight.com

"Met 'Hoe LinkedIn nu ECHT gebruiken' heeft Jan Vermeiren een excellent boek geschreven voor de beginnende en gemiddelde gebruikers van LinkedIn. Het bevat praktische voorbeelden van de zaken waarvoor je LinkedIn zou kunnen gebruiken (personeelswerving, verkoop, leveranciers vinden, ...), maar verbindt ook online en offline networking met elkaar. De lezer zal zich realiseren dat de kloof tussen die twee in feite niet zo heel groot is. Dit boek is een 'must read' voor iedereen die meer wil weten over wat hij met LinkedIn kan bereiken!"

An De Jonghe, auteur van 'Social Networks Around The World: How is Web 2.0 Changing Your Daily Life?', http://andejonghe.blogspot.com

"Als je op zoek bent naar de beste mensen en waardevolle relaties wilt cultiveren door 's werelds krachtigste sociale netwerk tool optimaal te benutten, lees dan Jan Vermeiren's uitstekende nieuwe boek 'Hoe LinkedIn nu ECHT gebruiken'!"

Don Gabor, auteur van 'Turn Small Talk Into Big Deals: Using 4 Key Conversation Styles To Customize Your Networking Approach, Build Relationships and Win More Clients', www.dongabor.com

‘Hoe LinkedIn nu ECHT gebruiken’ is stimulerend, vlot leesbaar en informatief. Jan blinkt in dit boek uit in het delen van waardevolle en praktische kennis. Ik vond het heel nuttig, zelfs voor doorgewinterde netwerkers of ervaren LinkedIn gebruikers als ikzelf. Ik beveel dit boek aan voor het beter begrijpen van de fundamentele principes van netwerken en om meer te weten te komen over de verbazingwekkende kracht van LinkedIn. Het is echt het beste boek over LinkedIn dat er bestaat!

Bert Verdonck, Lifehacker & Life Coach, www.bertverdonck.com

“Dit is een heel informatief en goed gestructureerd boek, dat iedereen die de waarde van netwerken en het leggen van de juiste connecties begrijpt, zou moeten lezen. Dit boek is een must en zou dit jaar bovenaan iedereens leeslijst moeten staan!”

Paul Bridle, Leadership Methodologist, www.paulbridle.com

“De informatie in ‘Hoe LinkedIn nu ECHT gebruiken’ is een powerhouse vol met tips, tactieken en benaderingen om je persoonlijke profiel te verbeteren, die gewoon werken. LinkedIn is tegenwoordig een buzzword in business networking en dit boek laat zien hoe je het ECHT moet gebruiken!”

Dr. Tony Alessandra, auteur van ‘The Platinum Rule and The NEW Art of Managing People’, www.alessandra.com

“Jan Vermeiren is er in geslaagd! Hij heeft een LinkedIn gids geschreven in eenvoudig te begrijpen taal, een echt godsgeschenk zowel voor beginnelingen als voor veteranen. Lezers van over de hele wereld zullen hun online aanwezigheid naar het volgende niveau tillen. Ze zullen leren om meer interne en externe credibiliteit op te bouwen, en ze zullen leren hoe ze connecties kunnen omzetten in betere verkoopresultaten en meer succes voor hun carrière!”

Lillian D. Bjorseth, auteur Breakthrough Networking: Building Relationships That Last, www.duoforce.com

"Veel van mijn klanten vertellen me dat ze LinkedIn verwarrend, complex en tijdrovend vinden. Gelukkig heeft Jan dit boek geschreven zodat ik weet dat mijn klanten in goede handen zijn wetende dat ze door het te lezen zich zullen realiseren dat LinkedIn een zeer effectief hulpmiddel is voor hun baan of zaak. Meer nog, ze zullen zien dat LinkedIn eenvoudig is om te gebruiken en als ze het op de goede manier gebruiken, tijdsefficiënt is. Jan's boek toont de weg om LinkedIn te gebruiken op zo'n goede manier dat ze het direct kunnen toepassen om hun netwerk acties naar een hoger niveau te tillen – en snel! Ik twijfel er geen moment aan dit boek aan te raden aan mijn klanten of aan eender wie LinkedIn gebruikt!"

Graham Jones, Internet Psycholoog, www.grahamjones.co.uk

"Het goede aan 'Hoe LinkedIn nu ECHT gebruiken' is dat het uitstekende inzichten biedt in de basisprincipes, vervolgens een basisstrategie voor iedereen beschrijft en dan een geavanceerde strategie voor diverse profielen. Hierdoor wordt het boek waardevol voor iedere professional!"

Bill Cates, auteur van 'Get More Referrals Now!', www.referralcoach.com

"Ik ben dol op praktische en direct toepasbare boeken. Dit is één van die zeldzame juweeltjes die je naast je toetsenbord kunt leggen als handleiding en om (heel veel) dingen direct voor elkaar te krijgen. Doordat hij heldere inzichten biedt en eenvoudige, maar supereffectieve strategieën, laat Jan Vermeiren zien hoe iedereen gebruik kan maken van de kracht van online zakelijke netwerken en in het bijzonder van LinkedIn!"

Guido Thys, Bedrijfsverloskundige, www.guidothys.nl

"Het viel te verwachten dat Jan, de netwerkexpert van België, op een dag een boek zou schrijven over sociale netwerken. 'Hoe LinkedIn nu ECHT gebruiken' is een must voor alle professionals die het komende tijdperk van networking willen binnengaan. Het boek biedt fascinerende inzichten in hoe je LinkedIn op een heel goede manier kunt inzetten in een zakelijke omgeving. Het maakt je bekend met onbekende facetten en mogelijkheden van LinkedIn en het beantwoordt vele brandende vragen over dit sociale netwerk. In het kort: dit boek is een onmisbare gids voor iedereen die de kracht van LinkedIn wil ontdekken!"

Erik Van den Branden, Director of HR Shared Services, Deloitte Belgium, www.deloitte.com

"Ik vond de hele hype rondom sociaal netwerken maar frustrerend en verwarrend, totdat ik 'Hoe LinkedIn nu ECHT gebruiken' las. Bedankt, Jan. Eindelijk een hulpmiddel dat me laat zien hoe ik het beste uit sociale netwerken kan halen en daarbij zelf aan al mijn contacten het beste kan geven!"

Garth Roberts, CSP, www.garthroberts.com

"Ik ben al een tijdje regelmatig gebruiker van LinkedIn en ik dacht dus dat ik niet veel meer zou kunnen bijleren. Ik was echter verrast over de extra dimensie die 'Hoe LinkedIn nu ECHT gebruiken' aan deze website geeft, in het bijzonder de aanwijzingen voor het maken van een goed profiel. Het is nu plotseling logischer om niet alleen LinkedIn meer te gebruiken, maar ook op een manier die in korte tijd meer resultaten behaalt, en op een manier die alle betrokken partijen respecteert!"

Christoph Van Doninck, Sales & Marketing Coördinator DPC, Dupont De Nemours, www.dupont.com

"De beste dingen komen voort uit eenvoudige en pragmatische methodes en dat is waarin Jan Vermeiren met zijn laatste boek in is geslaagd. 'Hoe LinkedIn nu ECHT gebruiken' biedt je niet alleen heldere strategieën voor het vergroten van de efficiëntie van je netwerk met LinkedIn, maar legt je ook de zin en het doel van networking uit. Een must voor iedere professional!"

Vincent De Waele, Business Transformation Director, Mobistar, www.mobistar.be

"Dit boek is een eye-opener: heb je het eenmaal gelezen, dan zal je zien hoe gemakkelijk het zoeken van business (of jobs) wordt. Door het bieden van heldere inzichten en een eenvoudige, maar supereffectieve strategie laat Jan Vermeiren zien hoe iedereen de kracht van online business networking kan inschakelen en, meer specifiek, LinkedIn. 'Hoe LinkedIn nu ECHT gebruiken' is een mustread!"

Jill Lublin, Internationaal spreker en bestselling auteur van 'Get Noticed...Get Referrals', 'Guerrilla Publicity' en 'Networking Magic', www.jilllublin.com

"Neem je netwerken serieus, gebruik dan LinkedIn. Als je LinkedIn serieus neemt, lees dan dit boek!"

Edgar Valdmanis, GoldClub Networker/Business Network International (BNI), www.bni.com

Hoe LinkedIn nu ECHT gebruiken

Hoe LinkedIn nu ECHT gebruiken

Ontdek de ware kracht van LinkedIn en hoe het als hefboom te gebruiken voor je baan of zaak.

Aan mijn netwerk, dat de katalysator was, is en altijd zal blijven van mijn inspiratie, succes en geluk.

CIP Koninklijke Bibliotheek Albert I

'Hoe LinkedIn nu ECHT gebruiken'

Jan Vermeiren

ISBN: 9789081188609

NUR: 800, 802, 809

Networking Coach: www.networking-coach.com

Website van het boek: www.hoe-linkedin-nu-echt-gebruiken.com

Gedrukt in België

4e druk februari 2010

Ontwerp en druk: Pages, Gent, België

Cover: Graffito, Gent, België

Wettelijk depot: D/2009/11.915/1

Inhoudsopgave

Antwoorden op brandende vragen en verhitte discussie-onderwerpen

Weinig gekende, maar interessante eigenschappen en gedrag van LinkedIn

Proloog

LinkedIn en andere sociale en zakelijke netwerk websites hebben ondertussen hun plaats in onze samenleving veroverd. De laatste jaren hebben we een explosieve en exponentiële groei van vele netwerken gezien. In het begin waren veel mensen er sceptisch over, maar deze netwerken hebben ondertussen niet enkel bewezen dat ze geen tijdelijk fenomeen zijn, maar bieden ons ook kansen die we nooit eerder hadden.

In mijn beroep van spreker, trainer en coach op het gebied van netwerken en referrals (doorverwijzingen) heb ik de waarde van deze netwerken ingezien vanaf het moment dat ze startten, in 2003. Als ondernemer die continu op zoek is naar klanten, leveranciers, personeelsleden, partners, mediacontacten, opinies van experts en andere hulp, heb ik ook persoonlijk de enorme kracht van deze netwerken ervaren.

In de laatste jaren heeft mijn team bij Networking Coach (www.networking-coach.com) een toenemende stroom vragen ontvangen van het publiek bij onze presentaties en van deelnemers aan onze trainingen over online zakelijke netwerken en hoe daarmee om te gaan, en in het bijzonder over LinkedIn. Veel mensen spraken hun weerstand hiertegen uit en waren sceptisch over deze nieuwe manier van relaties aangaan, maar net als bij vele andere zaken in het leven was dat meer de 'angst voor het onbekende'. Als ik mensen uitlegde en liet zien hoe men online netwerken kan benutten en hoe men er onmiddellijk mee kan beginnen werken, werden sommigen van hen de grootste fans van LinkedIn.

Omdat we zoveel vragen kregen, dacht ik er al een tijdje aan een boek te gaan schrijven. Niet alleen voor de deelnemers aan onze trainingen en onze presentaties, maar ook om aan de mensen die niet in staat zijn aan onze sessies deel te nemen deze waardevolle informatie door te geven zodat ook zij hun zaak of carrière naar (een) hoger(e) niveau(s) kunnen tillen.

Ik dacht er dus al een tijdje aan om een boek over LinkedIn te schrijven, maar wat me ertoe aanzette om het echt te schrijven, was het moment waarop LinkedIn de 'Discussions' in de 'Groups' introduceerde.

Waarom was dat het beslissende moment? Vandaag de dag zijn er veel, heel veel online netwerken (enkele daarvan vind je achterin het boek). Mijn grootste 'probleem' met LinkedIn was dat er geen forums of clubs waren waarin mensen bepaalde onderwerpen konden bespreken, waar ze anderen konden helpen of door anderen geholpen konden worden. Mensen die dat wilden, moesten lid worden van andere netwerkwebsites, of van Yahoo of Google Groups (of andere forums). Langs de andere kant was en is LinkedIn verreweg het grootste zakelijke online netwerk met meer dan 34 miljoen gebruikers wereldwijd (waarvan 1 miljoen in Nederland en 400.000 in België en groeiend), wat betekent dat als iemand ooit heeft gehoord van online zakelijke netwerken, hij of zij het eerste LinkedIn zal noemen.

Op het moment dat LinkedIn dus 'Discussions' introduceerde, viel de 'verplichting' weg om naast LinkedIn ook nog eens Yahoo of Google Groups te moeten gebruiken. Daarbovenop blijven er dagelijks duizenden mensen met een grote variëteit aan profielen uit velerlei sectoren zich op LinkedIn registreren, waardoor deze website nog interessanter wordt voor IEDERE professional.

Waarom wordt deze website interessanter als er meer leden zijn? Maak een vergelijking met de telefoon. Deze werd pas interessant genoeg om te gebruiken van het moment dat er genoeg mensen waren die er één hadden. Hetzelfde geldt voor LinkedIn.

Voordat ik de kracht van netwerken uitleg en hoe je LinkedIn kunt gebruiken als een tool met een enorme hefboomcapaciteit om je bedrijf of baan te ondersteunen, wil ik eerst enkele 'vrijwaringen' maken.

- Het nadeel van het schrijven van een boek over dingen die op het web gebeuren, is dat bepaalde functionaliteit op een website kan verschillen van wat beschreven is in het boek. Dingen kunnen immers zijn veranderd of zelfs weggehaald en er zal zeker meer functionaliteit aan zijn toegevoegd tegen de tijd dat het boek uitkomt. Bijvoorbeeld, toen ik een week vrij nam om de eerste versie van dit boek te schrijven (November 2008), voegde LinkedIn de 'Applications' toe en introduceerde een nieuwe zoekfunctie. Mede vanwege deze constante veranderingen vermijd ik het gebruik van screenshots. Maar ik wil je niet in de kou laten staan: als je het maximale uit je LinkedIn-lidmaatschap wilt halen, een gratis LinkedIn Profile Self Assessment wilt ontvangen en up-to-date wil blijven over alle nieuwe functionaliteiten en strategieën op LinkedIn, dan kan je je gratis inschrijven op www.hoe-linkedin-nu-echt-gebruiken.com/updates.html.
- Hoewel ik zal ingaan op de details van LinkedIn, zal ik niet alle basisfunctionaliteit bespreken. Als je echt veel screenshots en basisuitleg over de functies van LinkedIn nodig hebt, dan zijn er andere boeken die je kunnen helpen, bijvoorbeeld 'How to Succeed in Business using LinkedIn' door Eric Butow en Kathleen Taylor of 'LinkedIn for Dummies' door Joel Elad.
- Ik heb geen enkele zakelijke relatie met of zakelijk belang in LinkedIn. Mijn bedrijf Networking Coach en ik zijn onafhankelijk van LinkedIn en andere websites.
- Hoewel ik waarschijnlijk in staat zou zijn al je vragen over LinkedIn te beantwoorden, is er een goede Customer Service bij LinkedIn. Niet alleen hebben ze FAQ-pagina's waarop je bijna alle antwoorden kunt vinden (dat is de plaats waar ikzelf ga kijken als ik een bepaalde vraag heb), maar ze hebben ook een helpdesk met echte mensen die altijd alle vragen beantwoorden (niet te geloven voor

de helpdesks van vandaag de dag hé ☺). De Help-functie vind je bovenaan elke pagina op de site. Of je kunt direct gaan naar: http://linkedin.custhelp.com

Dus waar gaat dit boek dan over? 'Hoe LinkedIn nu ECHT gebruiken' laat je zien wat netwerken inhoudt en hoe je de fantastische tool die LinkedIn is, kunt gebruiken om de kracht van je netwerk in te schakelen om elk professioneel doel te bereiken dat je maar zou willen, ongeacht de functie die je uitoefent of de sector waarin je werkt. Dit boek gaat uit van een heel praktisch standpunt: je huidige baan of beroep en hoe je die beter kunt uitoefenen (betere resultaten in kortere tijd), door te putten uit de kracht van je netwerk met LinkedIn als hefboom.

Geniet ervan!

Jan

PS: dit boek heeft alleen waarde als je de informatie, tips en kennis die erin staan ook echt toepast. Mijn advies: lees het boek één keer, om de ideeën en strategieën te begrijpen. Lees het dan nog een keer en voer tip na tip uit. Voer niet alle tips in één keer uit, want dat zou het overweldigend kunnen overkomen. Kies drie ideeën die je onmiddellijk kunt gaan gebruiken, en als je die in je leven hebt geïntegreerd, kies dan de volgende drie nieuwe ideeën uit.

PPS: om je te helpen nog meer uit dit boek te halen, zijn we op LinkedIn een 'Global Networking Group' begonnen: (http://www.linkedin.com/groups?home=&gid=1393777). Deze groep staat open voor iedereen die de regels van de groep wil volgen. Dus, waar wacht je op? Sluit je vandaag nog aan!

Wat is (de waarde van) netwerken?

Twee van de opmerkingen die we tijdens onze trainingen en presentaties het meeste horen, zijn:

1. 'Waarom moet ik netwerken? Wat brengt me dat op?'
2. Speciaal als het gaat over online networking: 'Die mensen met duizenden en duizenden connecties, zijn dat niet slechts verzamelaars van namen? Zo wil ik niet zijn.'

Wat we hebben ervaren is dat het belangrijk is om de waarde en basisprincipes van netwerken te begrijpen voordat we ons verdiepen in wat LinkedIn voor ons kan doen en hoe het te gebruiken.

In mijn boek "Let's Connect!" heb ik reeds gedetailleerd uitgelegd welke dynamieken aan de basis van het netwerken en alle netwerkstrategieën liggen. In dit hoofdstuk zal ik enkele van de basisprincipes opnieuw aan bod laten komen (zonder al te veel in detail te treden), zodat je zult begrijpen wat we in de volgende hoofdstukken doen en waarom. Lees daarom dit hoofdstuk alsjeblieft heel aandachtig door, omdat het begrijpen en toepassen van deze fundamentele principes het verschil maakt bij het gebruik van LinkedIn.

Laten we eerst eens kijken naar alle voordelen van netwerken en dan wat dieper ingaan op enkele van de fundamentele principes van online en offline networking.

Wat zijn de voordelen van netwerken?

Velen van ons hebben het al meer dan eens horen zeggen: netwerken is belangrijk. En dan legt iemand bijvoorbeeld uit hoe netwerken helpt bij de verkoop. Maar als je niet verantwoordelijk bent voor verkoopresultaten zal je waarschijnlijk gestopt zijn met luisteren.

Daarom volgt hier een lijst met 26 redenen waarom netwerken belangrijk is en welke voordelen het voor jou kan hebben. Deze redenen zijn de belangrijkste die we ontvingen van de duizenden deelnemers aan onze netwerk- en referral trainingen en presentaties (ter info: referral trainingen zijn trainingen waarbij de deelnemers leren hoe ze meer doorverwijzingen kunnen krijgen naar de voor hen juiste personen; deze trainingen worden meestal voor verkopers, account managers en eigenaars van bedrijven georganiseerd). Ik heb deze lijst gepubliceerd op mijn blog (www.janvermeiren.com) van 1 Maart 2008, maar hij is nog steeds relevant.

Verkoop gerelateerd

1) Een relatie onderhouden met je huidige klanten
2) Nieuwe prospecten ontmoeten
3) Doorverwijzingen krijgen naar nieuwe, geprekwalificeerde prospecten
4) Doorverwijzingen krijgen naar andere afdelingen bij huidige klanten
5) Mond aan mond reclame
6) Het creëren van ambassadeurs die over jou vertellen en je in contact brengen met de juiste prospecten

Niet-verkoop gerelateerd

7) Een nieuwe baan vinden
8) Een nieuwe medewerker of collega vinden
9) De juiste mensen leren kennen - wat je kan helpen bij je carrière
10) De juiste organisaties aantrekken om partnerships mee te vormen
11) Op de hoogte worden gebracht als er belangrijke veranderingen zijn (bijvoorbeeld als er bepaalde wet- of regelgeving verandert)
12) Up-to-date informatie over al dan niet aan het werk gerelateerde onderwerpen
13) Van nieuwe trends horen
14) Grotere zichtbaarheid als persoon of organisatie
15) Meer kansen aantrekken
16) Nieuwe ideeën, nieuwe inzichten en nieuwe kennis krijgen
17) Een ander perspectief krijgen
18) Deuren die geopend worden naar mensen die je zelf niet kunt bereiken
19) Verrijking op elke mogelijke manier
20) Dingen met meer plezier doen
21) Je als persoon ontwikkelen
22) Je als organisatie ontwikkelen
23) De juiste mentoren aantrekken
24) Een filter hebben (= de mensen uit je netwerk) voor de enorme hoeveelheid informatie op internet en elders
25) Meer uitnodigingen krijgen voor (de juiste) evenementen, als deelnemer, spreker of co-gastheer/gastvrouw

26) Veiligheidsnet als er iets gebeurt

26 a - Als je zonder werk zit

26 b - Als je te veel werk hebt

26 c - Op persoonlijk vlak (kinderen van school halen, hulp bij het opknappen van je huis, babysit, ...)

De rest van dit boek zal je laten zien hoe LinkedIn je kan helpen om van al deze voordelen te genieten (ja, zelfs de babysit ☺). Maar laten we eerst eens kijken naar de basis van netwerken: de 2 grootste problemen, de 5 fundamentele principes en de uitdaging die we allemaal hebben.

De 2 grootste problemen bij (online) netwerken

Als mensen al eens over netwerken hebben nagedacht, dan beginnen ze meestal naar evenementen te gaan, een profiel op een website te zetten en connecties te leggen.

Maar dan komt er een moment waarop de meesten van hen zeggen: 'Ik heb er nu al zoveel tijd en energie in gestopt, maar ik heb niet het gevoel dat ik er iets uit haal.'

De oorzaak hiervan is dat ze nooit hebben nagedacht over:

1. Wat hun doel is.
2. Wie de mensen zijn die het beste in staat zijn hen te helpen om dat doel te bereiken.

Dit zijn de 2 grootste redenen waarom networking voor veel mensen niets schijnt op te leveren.

Maar als je dit omdraait en je jezelf doelen stelt en afvraagt wie de best geplaatste personen zijn die je kunnen helpen die doelen te bereiken, dan wordt het stukken eenvoudiger. Het wordt dan duidelijk bij welke organisaties, online netwerken en groepen op die online netwerken je je moet aansluiten. Het wordt dan eveneens duidelijk met wie je contact dient te leggen en om hulp en ondersteuning kan vragen.

Hoe je dat doet en hoe je daarin door anderen wordt waargenomen, zorgt er voor dat je netwerkinspanningen iets opleveren of verloren tijd zijn. Door de 5 fundamentele principes van netwerken te begrijpen en toe te passen, kan je jezelf ervan verzekeren dat je ook echt resultaten zult behalen. Laten we dus eens bekijken wat die 5 principes zijn.

Fundamenteel Principe 1: Netwerk attitude

In mijn netwerkboek 'Let's Connect!' definieer ik de netwerkhouding als:

'Informatie delen op een reactieve en proactieve manier zonder daar onmiddellijk iets voor terug te verwachten'

Laten we deze definitie eens in detail bekijken:

- **Informatie**: in deze definitie verwijst 'informatie' naar zowel heel algemene als naar heel specifieke kennis. Bijvoorbeeld, hoe je een televisieprogramma opneemt met een videorecorder. Of de specifieke code van de nieuwste programmeertaal. 'Informatie' gaat ook over zakelijke onderwerpen, bijvoorbeeld sales leads, en alledaagse zaken (zoals: wat zijn de openingsuren van de supermarkt). In een professionele omgeving is informatie bijvoorbeeld een vacature, een sales lead, een nieuwe leverancier of medewerker, mogelijkheden voor partnerschappen, interessante trainingen of tips om efficiënter te werken.
- **Delen**: hier zijn twee partijen voor nodig. Networking is geen eenrichtingsverkeer, maar een twee- of meerbaans boulevard. Het is altijd een win-win situatie, waarin alle partijen tevreden zijn. Wat belangrijk is in dit concept, is dat je je er zowel goed bij voelt om iemand te helpen als om iemand iets te vragen.
- **Op een reactieve en proactieve manier**: dit betekent in de eerste plaats dat je informatie of hulp aanbiedt als iemand je daar om vraagt. Maar het gaat nog wat verder. Je kunt mensen informatie sturen en met elkaar in contact brengen, zonder dat ze daar expliciet om hebben gevraagd (dat is dan het proactieve). Zorg er natuurlijk wel voor dat je mensen niet SPAMt. Een goede benadering is om mensen te laten weten dat je over deze informatie beschikt en dat je bereid bent dit te delen. In het bijzonder als je mensen niet goed kent, is dat een niet-confronterende benadering.
- **Zonder daar onmiddellijk iets voor terug te verwachten**: in dit tijdperk van korte termijn winstverwachtingen is dat misschien niet een concept dat door iedereen wordt omarmd. Laat me ook benadrukken dat we het hier NIET hebben over het gratis weggeven van je producten of diensten. We hebben het hier over al het andere, namelijk over wat je attitude is in de omgang met andere mensen. Hoewel dit voor sommigen moeilijk zal zijn, is dit echt dé houding die op lange termijn het beste werkt. Met deze attitude bouw je vertrouwen op en wordt je "aantrekkelijker" voor anderen.

Door te geven zonder daar onmiddellijk iets voor terug te verwachten, zal je uiteindelijk veel meer terugkrijgen dan je oorspronkelijke 'investering'. Maar je weet niet van wie en wanneer. En dat is iets wat veel mensen moeilijk vinden. In onze trainingen is dit altijd aanleiding voor levendige discussies, omdat er maar weinig mensen zijn die begrijpen hoe ze dit kunnen doen zonder heel veel tijd of geld te investeren. Later in dit boek zullen we bespreken hoe je hiermee om kunt gaan en hoe LinkedIn ons daarbij kan helpen.

Denk er aan dat netwerken een **langetermijn** spel is waarvoor **altijd 2 of meer spelers nodig zijn**. Wie zaait zal oogsten. Begin dus met zaaien (delen), zodat je meer en sneller kunt oogsten!

Het niet bekend zijn met de netwerk attitude en het niet in de praktijk toepassen ervan, is reden nummer 1 waardoor mensen denken dat LinkedIn voor hen niet werkt. Omdat ze alleen maar op zichzelf zijn gericht krijgen ze geen hulp van andere mensen en raken ze gefrustreerd door het gebrek aan positieve reacties.

Fundamenteel Principe 2: De Gouden Driehoek van Netwerken

Als ik het heb over de Gouden Driehoek van Netwerken kijken veel mensen me aan alsof ik het over iets heel mysterieus heb. In werkelijkheid is het echter helemaal niet mysterieus, maar een gemakkelijke en effectieve manier om relaties op te bouwen.

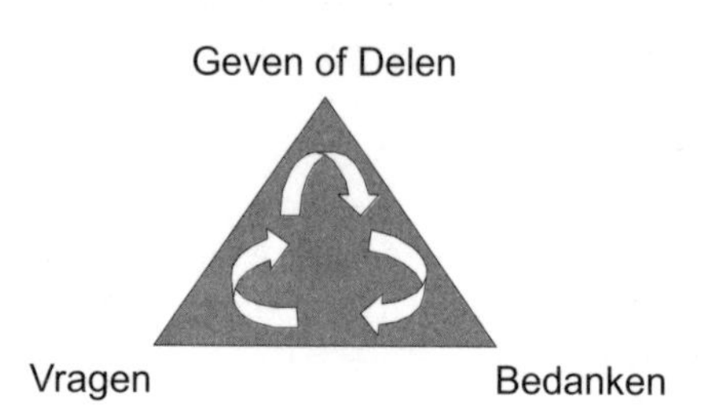

Laten we eens kijken naar de drie hoeken van de Gouden Driehoek:

Geven of Delen

Dit staat in relatie met de netwerk attitude. Wat kunnen we aan anderen geven of met hen delen? Door te geven en te delen verbeteren we onze relaties met andere mensen.

Voor veel mensen is dit een moeilijk concept, omdat ze in termen van tekort denken, in plaats van in termen van overvloed. Ze denken ook dat als ze iets weggeven, ze dat zelf niet meer hebben. Dat is waar voor fysieke objecten, maar we leven steeds meer in een kennismaatschappij (in het bijzonder in de westerse wereld). Als je informatie of kennis deelt (zoals ik nu met jou doe), dan verlies je dat niet. We hebben het dan allebei.

In 'Let's Connect!' staan heel veel voorbeelden van wat we allemaal met anderen kunnen delen. Verderop in dit boek zullen we zien hoe gemakkelijk LinkedIn het voor ons maakt om met anderen te delen zonder daarbij veel tijd te spenderen.

Vragen

Bij het netwerken is het ook belangrijk om anderen om hulp te vragen. Het is hier waarin de kracht van je netwerk zit: hulp krijgen van andere mensen.

Heel veel mensen vinden het echter moeilijk om om hulp te vragen. In "Let's Connect!" citeer ik netwerkexpert Donna Fisher, uit haar boek "People Power", waarin ze het heeft over de mentale barrières die veel mensen voor zichzelf opwerpen en over de 7 types conditioneringen die je effectiviteit bij het netwerken kunnen aantasten, zonder dat je je daar zelfs maar bewust van bent. Dit zijn de redenen waarom we vaak niet om hulp vragen en te veel tijd kwijt zijn met proberen zelf alles uit te zoeken.

In mijn presentaties vraag ik vaak: 'Denk eens terug aan de laatste keer dat iemand je om informatie of hulp vroeg en je die persoon kon helpen. Wat voor gevoel kreeg je daarbij?' Het antwoord is altijd: 'Een goed, positief en fijn gevoel.'

Vervolgens zeg ik dan: 'De volgende keer als je een vraag hebt of hulp nodig hebt, maar om een bepaalde reden of wat voor mentale barrière dan ook niemand om hulp of informatie vraagt, dan ontneem je anderen de kans dit goede, positieve en fijne gevoel te ervaren.'

Dit helpt veel mensen om de zaak van de andere kant te bekijken. Voor sommigen is het zelfs een 'paradigm shift'.

Het is dus duidelijk dat wij ONZE relaties verbeteren als we geven en delen met andere mensen, maar ook vragen is belangrijk, zodat anderen de kans krijgen HUN relatie met ons te verbeteren.

We hebben echter allemaal in het verleden wel eens negatieve ervaringen gehad als we om iets vroegen. Er zijn mensen geweest die niet zo goed op onze vragen reageerden. Ook dit kan de oorzaak zijn van het feit dat we voorzichtiger zijn geworden met het vragen om hulp en informatie.

Er zijn twee hoofdredenen waarom ons dit in het verleden is overkomen:

1. We stelden geen goede vraag
2. We stelden de vraag niet op een manier die de beste resultaten had kunnen opleveren

Laten we hier eens wat dieper op ingaan.

Hoe ziet een goede vraag eruit?

Een goede vraag is net als een goede doelstelling: hij moet zo specifiek mogelijk zijn. Hoe specifieker, hoe beter. Vergelijk het met een zoekmachine zoals Google. Als je het woord 'networking' invoert, krijg je zo'n 296.000.000 resultaten terug. Laten we eens aannemen dat je op zoek bent naar een networking coach. Je begint alle resultaten te lezen, van boven naar beneden. Na een half uur ben je dan moe en gefrustreerd omdat je nog steeds niet hebt gevonden waar je naar op zoek was. Maar als je een specifiekere zoekterm invoert, namelijk de exacte term 'networking coach', krijg je slechts 24.000 resultaten terug. De kans dat je dan zult vinden wat je zocht, is sterk toegenomen! Doe ditzelfde met de vragen die je mensen stelt: maak ze zo specifiek mogelijk.

Een ander voorbeeld is: iemand die ik ken, verloor zijn baan en vroeg me: 'Jij hebt veel contacten, kan je me helpen een nieuwe baan te vinden?' Misschien had ik hem op weg kunnen helpen, maar waar ter wereld had ik moeten beginnen? Dit was zo'n vage vraag, dat ik in feite niet in staat was hem te helpen.

Dus wat heb ik gedaan? Ik begon hem vragen te stellen: wat voor ervaring heb je, welke talen spreek je, wat zijn je doelen, wat is je meerwaarde voor een organisatie, wat zijn je verwachtingen en in welke regio wil je werken? En uiteindelijk kwamen we op een punt terecht waar ik hem kon helpen. Het werd duidelijk dat hij 6 jaar ervaring had in de IT, in het bijzonder als programmeur in Visual Basic, C++ en .Net, dat hij drie talen sprak (Nederlands, Frans en Engels) en dat hij op zoek was naar een bedrijf in de buurt van Antwerpen in België. Dit maakte de zoektocht in mijn hersenen en in mijn database veel specifieker en ik bleek hem te kunnen introduceren bij twee potentiële werkgevers.

Netwerk succes tip: help anderen jou te helpen. Wees specifiek!

Als je een goed antwoord wilt krijgen, stel dan een goede vraag. Bereid jezelf voor. Denk na over wat je precies wilt en over hoe anderen je kunnen helpen je doel te bereiken. Op die manier geef je het signaal dat je je zelf ook hebt ingespannen om een zo goed mogelijk antwoord te krijgen. Mensen waarderen dat. En ze waarderen het niet altijd als je hun tijd gebruikt om 'jezelf voor te bereiden'.

Hoe stel je een vraag zodat die de beste resultaten oplevert?

Veel mensen hebben niet alleen problemen met het stellen van vragen, maar als ze eenmaal over die drempel heen zijn, hebben ze ook nog eens een probleem met het stellen van directe vragen. 'Direct' betekent hier: een verzoek doen aan iemand die bevoegd is om een beslissing te nemen. Dit heeft niets te maken met het stellen van open of gesloten vragen. Raak daarmee dus niet in de war.

Ik heb goed nieuws voor mensen die aarzelen om iemand een directe vraag te stellen: bij het netwerken is de beste vraag de 'indirecte' vraag!

Laten we eens gaan kijken waar deze 'beste vraag' vandaan komt.

Stap 1: van een 'directe' naar een 'indirecte' vraag

In plaats van te vragen: 'Heb je een baan voor mij als marketing assistent?', kan je bijvoorbeeld vragen: 'Ken je misschien iemand die op zoek is naar een nieuwe marketing assistent?'

Als deze persoon op zoek is naar een nieuwe marketing assistent, dan zal hij of zij je dit vertellen. Zoniet, dan heb je wel **zijn of haar hersenen aangezet om na te denken over mensen die jou zouden kunnen helpen.**

Een ander voordeel van zo'n soort vraag is dat je de ander de kans geeft om 'nee' te zeggen (tegen jouw vraag om een baan) zonder de relatie tussen jullie twee in gevaar te brengen. In plaats daarvan geef je hem of haar de kans om je op een andere manier te helpen, namelijk door je te introduceren bij iemand anders of door je goede tips te geven over hoe je je doel kunt bereiken.

Stap 2: van een 'indirecte' vraag naar de 'beste vraag'

De vorige 'indirecte' vraag is al een enorme stap in de goede richting. Maar de 'beste vraag' zou echter zijn: 'Met wie zou ik volgens jou contact moeten opnemen in mijn zoektocht om een nieuwe baan als marketing assistent te vinden?'

Op die manier stel je niet alleen een indirecte vraag, maar creëer je ook de kans dat je **een hele lijst met goede contacten** ontvangt **van mensen die je binnen hun netwerk kunnen doorverwijzen**. Je vergroot hiermee ook je mogelijkheden, want misschien kent je contact geen marketing directeuren, maar is één van zijn beste vrienden wel de hoofdredacteur van een marketing magazine.

Met andere woorden, de beste en veiligste vraag om te stellen in je netwerk is:

'Met wie zou ik volgens jou contact moeten opnemen om ... '
+ je specifieke vraag

Je zult versteld staan van de resultaten van deze benadering. Doe mij en vooral jezelf een plezier en probeer het uit!

Om je aan te moedigen dit ook echt te gaan doen, wil ik het volgende verhaal met je delen:

In juli 2005 ging ik lunchen met change management consultant Han Juch van AlterMate. Hij vertelde me toen dat mijn adviezen over het benaderen van mensen voor hem goed hadden gewerkt. In het verleden had hij moeilijkheden gehad om afspraken te krijgen met potentiële klanten. Maar nu had hij contact opgenomen met enkele bedrijven en hen gevraagd of ze niet iemand kenden die baat zou hebben van zijn specifieke ervaring in het opzetten en onderhouden van een "tweede organisatie", een bijzonder concept van hem over change management. De bedrijven waarmee hij contact opnam waren bereid om naar zijn verhaal te luisteren en hem te helpen naar klanten te zoeken. Na deze afspraken bleken twee van de drie bedrijven die hij had gesproken zelf geïnteresseerd te zijn in zijn concept en zijn ervaring met andere bedrijven. En bovendien waren ze ook nog eens bereid om hem binnen hun netwerken te introduceren!

Netwerk succes tip: als je vooruit wilt komen in je professionele en persoonlijke leven én je netwerk de kans wilt geven om je te helpen, dan is het belangrijk dat je regelmatig en op een respectvolle manier vragen stelt!

LinkedIn biedt vele tools waarmee je vragen kunt stellen, bijvoorbeeld 'Answers' en 'Discussions'. Ook de 'Status Update' kan je hiervoor gebruiken. Hoe je deze tools moet gebruiken, beschrijf ik in een volgend hoofdstuk.

Bedanken

De meesten onder ons bedanken mensen die ons iets hebben gegeven of een oplossing voor een probleem hebben geboden. Maar bedanken we mensen ook als we NIETS hebben gekregen? Bedank je iemand die de tijd heeft genomen om naar een oplossing voor je te zoeken, maar die niet heeft gevonden? Of iemand die gewoon de tijd heeft genomen om naar je te luisteren?

Misschien herken je ook het volgende verhaal. Eén van de dingen die ik nog steeds moeilijk vind, is niet te vergeten mensen te bedanken die me heel lang geleden in hun netwerk hebben geïntroduceerd of doorverwezen. Laat me dit uitleggen. In januari 2005 kreeg ik van iemand in mijn netwerk de naam van een contactpersoon bij bedrijf X. Dit bedrijf was geïnteresseerd in het trainen van hun mensen op het gebied van netwerken. De tijd verstreek en er waren enkele ontmoetingen en contacten, maar geen training. Totdat het december werd. Toen kreeg ik plotseling een telefoontje van mijn contact, die me vroeg om een netwerktraining te doen voor zijn bedrijf.

Ik schaam me een beetje te moeten toegeven dat ik helemaal vergeten was om de initiatiefnemer van dit contact te bedanken. Maar het is zo belangrijk om dat wel te doen, zelfs al zijn er maanden verstreken en zijn er vele andere projecten en evenementen tussen gekomen. Alleen al door de kleine inspanning van een bedankje versterk je de relatie en betrek je je contact bij je successen. Op die manier is hij of zij ook gemotiveerder je in de toekomst weer te helpen. Om te voorkomen dat we dit nog eens vergeten, houden we nu bij welke introducties we allemaal hebben gekregen van wie. Als er uit een introductie uiteindelijk een project voortkomt, sturen we de doorverwijzer een klein cadeau om onze dankbaarheid te tonen.

In een volgend hoofdstuk zal ik laten zien hoe je LinkedIn kunt gebruiken om mensen te bedanken.

Fundamenteel Principe 3: De echte kracht van het netwerk zit in de tweede graad

Als mensen nadenken over netwerken en hoe dit hen kan helpen, dan denken ze vaak: ik moet de juiste mensen in mijn netwerk hebben. Je eigen netwerk heet het eerstegraads netwerk (op LinkedIn kan je dan ook het getal 1 zien naast de naam van een persoon met wie je zelf een connectie hebt).

Het denken dat de kracht van een netwerk in de eerste graad zit, vormt echter de grootste barrière die mensen ervan weerhoudt hun doelen te bereiken.

De echte kracht van een netwerk zit niet in wie je kent, maar in wie zij kennen. De échte kracht van het netwerk zit in de tweede graad. Daar liggen veel meer kansen.

Natuurlijk heb je de eerste graad nodig om de tweede graad te bereiken, en dus is de eerste graad nog steeds belangrijk.

Het begrijpen dat de echte kracht van je netwerk in de tweede graad zit, helpt je ook om op een andere manier om te gaan met je netwerk en de mensen die je ontmoet. Je hoeft met hen helemaal geen zaken te doen. Je hoeft jezelf helemaal niet aan hen te 'verkopen'.

Als je eenmaal begrijpt dat de kracht van je netwerk in de tweede graad zit, dan kan je immers een ander soort gesprekken gaan voeren. Dan kan je de tijd nemen om elkaar wat beter te leren kennen en te bekijken hoe je elkaar zou kunnen helpen met jullie beide netwerken.

Hoeveel mensen ontmoet je niet waarvan je denkt: 'Hoe aardig deze persoon ook is, ik zal nooit zaken met hem of haar kunnen doen, want we zitten in totaal verschillende sectoren, geografische gebieden of functies. Laten we dit gesprek zo snel mogelijk beëindigen, zodat ik kan gaan praten met iemand die écht interessant voor me is.'

Maar je weet maar nooit wie iemand allemaal kent. Als je de tijd neemt voor een wat langer gesprek, iemand vraagt waar hij of zij naar op zoek is en je je doelen aan elkaar vertelt, dan zou je weleens heel versteld kunnen staan.

Door het 'hard selling of stofzuigerverkopers' aspect uit een gesprek weg te nemen (en dit geldt niet alleen voor verkopers, maar ook voor mensen die op zoek zijn naar een nieuwe baan of nieuwe medewerker), wordt netwerken veel meer ontspannen en bovendien leuker.

Eén van de grootste voordelen van LinkedIn is dat het je helpt gebruik te maken van deze kracht van de tweede graad. Wat van LinkedIn zo'n fantastische tool maakt, is dat het je het netwerk van je netwerk laat zien. LinkedIn laat je alle tweedegraads en derdegraads contacten zien, samen met ALLE connecties die je met hen hebt.

Het begrijpen van dit concept en het in staat zijn het in de praktijk toe te passen, is de belangrijkste succesfactor voor jou op LinkedIn. Om je te helpen dit concept diepgaand te begrijpen, zullen we in het hoofdstuk 'Ervaar de kracht van LinkedIn' een kleine oefening doen.

Fundamenteel Principe 4: kwaliteit en diversiteit zijn beide belangrijk

Er zijn vaak vele discussies over wat nu het belangrijkste is bij netwerken: kwaliteit of kwantiteit. In "Let's Connect!" heb ik hierover al geschreven. Omdat het een fundamentele discussie is, behandel ik het hier even opnieuw en zal ik vervolgens ook even de sterkte van 'zwakke links' bespreken.

In feite gaat de hele discussie over het 'verkeerde' onderwerp. Het is niet kwantiteit die belangrijk is, maar diversiteit. De consequentie hiervan is echter dat hoe meer divers een netwerk is, hoe meer mensen erin zullen zitten en dus hoe groter de kwantiteit is.

Laten we eens wat dieper ingaan op kwaliteit en diversiteit.

Het belang van kwaliteit

Laat me beginnen met je een vraag te stellen: wat is kwaliteit?
Hoe definieer je dat?

Veel mensen zien personen met een hoge positie in een groot en bekend bedrijf als 'hoge kwaliteit'. Laten we zo'n persoon eens Mevrouw Grote Vis noemen. Dus mensen doen alles om maar met haar in contact te komen als ze haar op een evenement zien. Maar als ze dan een paar minuten met haar kunnen spreken, weten ze niet wat ze moeten zeggen en besteden ze alle tijd aan het uitwisselen van visitekaartjes. Later sturen ze e-mails en beginnen Mevrouw Grote Vis te bellen, maar haar secretaresse houdt alles tegen. Vervolgens zijn ze teleurgesteld in Mevrouw Grote Vis, in het evenement waar ze elkaar hebben ontmoet en in netwerken in het algemeen.

Herken je deze situatie? Uit eigen ervaring of van iemand die je kent? Dan is het misschien een goed idee om eens op een ander manier naar 'kwaliteit' te kijken.

Voor mij kan 'kwaliteit' alleen maar worden gemeten in relatie tot je doelen. Iemand is van 'hoge kwaliteit' als hij of zij (of zijn of haar netwerk) je kan helpen je doelen beter en sneller te bereiken. Een loodgieter wordt door de meeste mensen op netwerk recepties niet als een persoon van hoge kwaliteit gezien, maar als morgen je leidingen springen, dan is hij van de hoogste kwaliteit die je maar kan bedenken.

Bovendien Mevrouw Grote Vis mag vervolgens nog steeds hoge kwaliteit zijn als je vanuit je doel vertrekt, maar heeft het ook heel erg druk. Het is daarom misschien een goed idee om op zoek te gaan naar mensen met dezelfde hoge kwaliteit, maar die gemakkelijker te benaderen zijn en meer tijd voor je hebben.

Kwaliteit is dus zeker belangrijk bij networking. Maar diversiteit is dat eveneens. Waarom?

Het belang van diversiteit

Er zijn 4 hoofdredenen waarom diversiteit belangrijk is.

Je doelen veranderen na verloop van tijd

Je doelen veranderen na verloop van tijd, en de 'kwaliteit' van mensen doet dat ook. Iemand die een jaar geleden nog van 'lage kwaliteit' was, kan vandaag nummer 1 zijn. Ook het tegenovergestelde kan het geval zijn. Dit is dus een andere reden waarom iedereen belangrijk is.

Een voorbeeld: een voormalig productmanager van een groot telefoonbedrijf vertelde me dat hij nooit interesse had gehad om tijdens evenementen van de Kamer van Koophandel accountants en advocaten te ontmoeten. In feite rende hij altijd hard van ze weg. Totdat hij zijn eigen bedrijf startte. Toen had hij spijt van het feit dat hij geen enkele connectie op die twee gebieden had.

Meer kansen

Een meer divers en groter netwerk biedt je meer kansen om de 'hoge kwaliteit' mensen te vinden. Nogmaals, dit betekent dat je je doelen moet kennen.

Opgelet! Ik ben geen voorstander van het verzamelen van zoveel mogelijk contacten als maar mogelijk is. Op evenementen en op internet zie je veel mensen die bezig zijn hun (virtuele) adressenboek uit te breiden. Voor sommigen van hen is het een soort sport, zodat ze kunnen opscheppen: 'Kijk eens hoeveel mensen ik ken.' Maar als één van hun contacten de relatie wil verdiepen, dan krijgen ze geen antwoord op de e-mails of telefoontjes. Begrijp me niet verkeerd. Er is niks mis met grote adressenboeken. Zolang je maar beschikbaar bent voor je netwerk.

Als je echter mensen verzamelt zoals iemand postzegels verzamelt, dan is het misschien goed om ze dat ook te vertellen. Op die manier schep je geen valse verwachtingen. Valse verwachtingen schaden je reputatie. En dat is het laatste wat je wilt bij het netwerken.

Meer kansen hebben, betekent ook dat je minder afhankelijk wordt van toeval of geluk om goede dingen in je leven te laten gebeuren. Met veel contacten, gecombineerd met het kennen van je doelen, zal je bovendien meer synchroniciteit in je leven ervaren!

Waarde voor je netwerk

Iemand kan voor jou van 'lage kwaliteit' zijn, maar voor iemand uit je netwerk van 'hoge kwaliteit'. De beste en goedkoopste netwerk actie is mensen met elkaar in contact brengen. Door dat te doen versterk je je relatie met beide mensen. Dit creëert goodwill. Als gevolg daarvan zullen beiden ook meer gemotiveerd zijn om jou te helpen de 'hoge kwaliteit' mensen te vinden waar jij naar op zoek bent.

Zoals gezegd is het met elkaar in contact brengen van mensen één van de beste dingen die je kunt doen op het gebied van netwerken. Het is gratis, kost weinig tijd en je helpt twee mensen tegelijkertijd. Beiden zullen zich jou herinneren als iemand die heel goed heeft geholpen en als gevolg hiervan wordt de kans groter dat ze aan jou denken als er zich een mogelijkheid aandient op jouw vakgebied of als jij om hulp vraagt.

Diversiteit schept een groter vangnet als de omstandigheden veranderen

We hebben allemaal de neiging om de mensen met wie we dezelfde interesses, dezelfde achtergrond, dezelfde opleiding en andere overeenkomsten delen op te zoeken en te blijven opzoeken. Wayne Baker noemt dit het 'similarity principle'. In zijn boek 'Networking Smart' kan je vele voorbeelden van dit principe vinden. Soms is deze neiging om steeds met dezelfde mensen om te gaan goed, maar soms is het een nadeel. Als je bijvoorbeeld op zoek bent naar een nieuwe baan, is het beter om een groot en divers netwerk te hebben. Dit is wat de 'sterkte van zwakke links' wordt genoemd. Je kleine kerngroep zal je beperken tot dezelfde bronnen van informatie en mogelijkheden voor werk, terwijl een groter en meer divers netwerk toegang biedt tot meer verschillende kansen en mogelijkheden.

Zoek je balans tussen kwaliteit en diversiteit

Je weet nu dat zowel kwaliteit als diversiteit belangrijk zijn.

Dus wat moet je nu vervolgens doen? Het is een cliché, maar mijn advies is:

Zoek je eigen balans tussen kwaliteit en diversiteit.

Onthoud dat iemand die vandaag niet 'interessant' voor je is, je morgen zou kunnen helpen je volgende doel te bereiken. Bovendien weet je niet welke mensen deze persoon allemaal kent of hoe hij of zij iemand uit je netwerk zou kunnen helpen.

Bijvoorbeeld: toen ik bezig was materiaal te verzamelen voor dit boek, hebben heel veel mensen aan wie ik nooit iets zal verkopen of van wie ik nooit iets zal kopen me geholpen om input te verzamelen via de LinkedIn Groups waar ze lid van zijn. Op die manier hebben ze me geholpen input te krijgen van mensen met wie ik zelf nooit in contact had kunnen komen.

In een volgend hoofdstuk zullen we bekijken hoe zowel sterke als zwakke links op LinkedIn ons kunnen helpen onze doelen effectiever en sneller te bereiken.

Fundamenteel Principe 5: Je 'Know, Like en Trust' factor.

Netwerk- en referral expert Bob Burg is beroemd vanwege zijn uitspraak (uit zijn uitstekende boek 'Endless Referrals'): '**All things being equal, people do business with, and refer business to people they know, like and trust.'** Of in het Nederlands **'Al met al, doen mensen zaken met en verwijzen ze zaken door naar mensen die ze kennen, mogen en vertrouwen.'**

Om relaties op te bouwen is het dus belangrijk om je Know-factor, Like-factor en Trust-factor bij de mensen in je netwerk te verhogen.

Wat betekent dit in de praktijk?

- **Know (Kennen)- factor**: wat weten mensen over je? Wat is je achtergrond? Wat zijn je interesses op professioneel en persoonlijk gebied? Van welke organisaties ben je lid? Om je Know-factor te verhogen, is het belangrijk om je Profile op LinkedIn zo compleet mogelijk in te vullen. Tips over hoe je dit het beste kunt doen, staan in een volgend hoofdstuk.

- **Like (Mogen)-factor**: mensen houden van mensen die aardig, behulpzaam en niet opdringerig zijn. Het toepassen van de netwerk attitude, nadenken over wat je met anderen kunt delen en het beantwoorden van vragen helpt al een groot deel om je Like-factor te verhogen. Meer tips over hoe je dit kunt doen op LinkedIn staan in een volgend hoofdstuk.

- **Trust (Vertrouwen)-factor**: er zijn twee soorten vertrouwen:
  - **Het vertrouwen dat je een expert bent**. Dit deel van de Trust-factor kan je verhogen door vragen op het gebied van je expertise te beantwoorden in Answers en Discussions. Door goede en solide antwoorden te geven zal je worden gezien als een expert. Je Trust-factor zal ook verhoogd worden door Recommendations te krijgen van andere mensen die jouw *professionele expertise* aanbevelen.
  - **Het vertrouwen dat je je fatsoenlijk zult gedragen** als je een introductie of doorverwijzing krijgt. Dit is voor een deel het gevolg van je gedrag zoals beschreven bij de Like-factor. Dit deel van de Trust-factor kan ook worden verhoogd door Recommendations van mensen die jouw *houding* bij het samenwerken beschrijven.

LinkedIn helpt je op vele manieren je Know, Like en Trust factor te verhogen. Stephen M.R. Covey schreef in zijn boek 'The Speed of Trust': vertrouwen kan ook van de ene persoon op de andere worden overgedragen. Daarom is het goed om om introducties te vragen en berichten door te geven als je mensen vertrouwt. Dit is één van de beste en gemakkelijkste netwerk-acties die je kunt ondernemen. Het werkt echter ook omgekeerd: vertrouwen (en je reputatie) kunnen heel snel beschadigd raken. Wees dus niet alleen een goede advocaat wanneer iemand je om een introductie vraagt, maar ook een goed filter!

De uitdaging

Ondertussen begrijp je dat wanneer je start met het bepalen van je doelen het een heel stuk gemakkelijker wordt om te beginnen met (online) netwerken en gebruik te maken van de kracht van je netwerk om resultaten te behalen. Je hebt nu ook inzicht in de 5 fundamentele principes achter networking.

De uitdaging is nu om beide te combineren. Als je je alleen richt op je doelen en niet de 5 fundamentele principes toepast, dan zal het veel moeilijker zijn om resultaten te behalen. Je zult ook veel negatieve reacties krijgen als je je netwerk alleen maar gebruikt en niets teruggeeft.

De consequentie hiervan is dat het van jouw kant inspanning en tijd vraagt om mensen te helpen en om personen met elkaar in contact te brengen. Voor sommige mensen kan dit tijdrovend lijken. Maar als je begint je netwerk uit te breiden met je doelen voor ogen en LinkedIn te gebruiken op de manier zoals in dit boek is beschreven, dan zal je zoveel sneller resultaten behalen, dat je veel meer tijd bespaart dan je erin hebt gestopt.

Conclusie van dit hoofdstuk

(Online) networking is het meest krachtige en gratis hulpmiddel dat iedereen heeft. Om echt resultaten te behalen is het cruciaal om vanuit een doel te beginnen. Door de fundamentele principes van networking te begrijpen en toe te passen, zal je successen behalen, zowel online, telefonisch als bij persoonlijke contacten. Ter herinnering volgen hier de 5 fundamentele principes:

1. Netwerk attitude: informatie delen op een reactieve en proactieve manier zonder daarvoor onmiddellijk iets terug te verwachten.
2. De Gouden Driehoek van Netwerken: Geven (of Delen), Vragen en Bedanken.
3. De echte kracht van het netwerk zit in de tweede graad.
4. Kwaliteit en diversiteit zijn beide belangrijk.
5. Je Know, Like en Trust factor zal worden beoordeeld in je omgang met mensen. Zorg er voor dat alle drie de factoren hoog zijn.

In de volgende hoofdstukken zal je leren hoe je op basis van deze 5 fundamentele principes een succesvolle strategie op LinkedIn kunt opbouwen.

LinkedIn: wat is het en hoe kan jij er iets aan hebben?

Aangezien je dit boek hebt gekocht is de kans groot dat je al een Profile op LinkedIn hebt en een paar eerste ervaringen met dit online zakelijke netwerkplatform hebt gehad. Of misschien gebruik je LinkedIn al op regelmatige basis en wil je er meer uit halen.

Voor beide typen gebruikers is het goed om even stil te staan bij wat LinkedIn wel is en wat het niet is, wat het belangrijkste voordeel van LinkedIn is en hoe LinkedIn je (zakelijk) leven kan verbeteren.

Wat is LinkedIn?

Op het moment dat ik dit boek schrijf (Januari 2009), is LinkedIn de grootste **zakelijke** online netwerkwebsite wereldwijd, met meer dan 34 miljoen gebruikers en zeer snel groeiend (in 2008 groeide LinkedIn van 19 miljoen gebruikers naar 33 miljoen, en afhankelijk van het tijdstip waarop je dit boek leest, kan dit aantal zich inmiddels alweer hebben verdubbeld of verdrievoudigd). Er zitten op LinkedIn mensen uit allerlei sectoren en industrieën met een grote variëteit aan functies en de website wordt gebruikt door high level profielen (een voorbeeld: executives van alle Fortune 500 bedrijven zijn lid). De gemiddelde leeftijd is 41 jaar, waardoor LinkedIn alleen al vanuit demografisch oogpunt verschilt van Facebook, dat internationaal de meest gebruikte **sociale** netwerkwebsite is, met meer dan 150 miljoen gebruikers en een gemiddelde leeftijd van 20 jaar. LinkedIn is een platform waarmee je jezelf zichtbaar kunt maken, met mensen in contact kunt komen, mensen kunt helpen en geholpen kunt worden.

Hoewel er mensen zijn die denken dat LinkedIn een sales tool is, is het voor mij een netwerkplatform: een platform waarop je relaties kunt beginnen en onderhouden. Het gevolg van het opbouwen van relaties kan zijn dat je iets verkoopt, maar evengoed een nieuwe baan vindt, of een nieuwe medewerker, leverancier, partner of expertise.

Sommige mensen zijn het hier niet mee eens (en wat mij betreft is dat prima ☺). Hun doel is verkopen of personeel werven en zij gebruiken LinkedIn en andere netwerkplatformen alleen maar daarvoor. En zij boeken daarmee resultaten. Maar niet zoveel als ze zouden kunnen. Door de fundamentele principes 1, 2 en 5 links te laten liggen (de netwerk attitude, de Gouden Driehoek van Netwerken en de Know, Like en Trust factor) lopen ze vele kansen mis. Ze spenderen veel tijd zonder de resultaten te behalen die ze zouden kunnen behalen.

LinkedIn (en andere tools) zijn ook niet meer, maar zeker niet minder dan dat: een krachtig hulpmiddel om relaties te beginnen en op te bouwen. Een hulpmiddel helpt ter ondersteuning, het is geen doel op zich. Als je het grote aantal connecties ziet dat sommige mensen op LinkedIn hebben, dan zou je hierover andere ideeën kunnen krijgen, maar voor mij is LinkedIn enkel een hulpmiddel, maar wel een zeer krachtig.

LinkedIn is één van de vele tools die we vandaag de dag tot onze beschikking hebben in het hele spectrum van Sociale Media. De andere leden van deze 'familie' zijn blogs, wikis (Wikipedia), microblogging (Twitter), photosharing (Flickr), videosharing (Youtube) en social bookmarking (Delicious). Wat interessant om te zien is, is dat ze allemaal naar elkaar aan het toegroeien zijn. LinkedIn begon voor zichzelf in November 2008 met deze integratie met de lancering van Applications, waarmee je bijvoorbeeld blogposts en slideshows in je Profile kunt laten zien.

Erwin Van Lun, futurist en trendanalyst, gaat zelfs nog een stap verder bij het beschrijven van LinkedIn:

'LinkedIn is een essentieel onderdeel van de nieuwe economie die nu ontstaat. LinkedIn is niet zomaar een handige website, een tool om je business mee te vergroten, om mee te communiceren of je contacten terug te vinden. Nee, LinkedIn laat het fundament zien van een open, genetwerkt systeem dat ontstaat als we het kapitalistisch, gesloten systeem hebben opgeruimd. Nieuwe bedrijven helpen in een dergelijke wereld mensen in bepaalde behoeftedomeinen als een virtuele coach waarbij LinkedIn zich heeft gespecialiseerd in 'werk'. Dat begon met contacten, met banen en events. Later met opleidingen, beroepskeuze of het helpen bij arbeidsconflicten. Wanneer je dit projecteert op LinkedIn dan zie je dat LinkedIn pas net is begonnen. LinkedIn groeit uit tot een zeer betrouwbaar maatje bij alles wat te maken heeft met werk. Wereldwijd. LinkedIn staat echt pas aan het begin.'

Net als Erwin ben ik heel nieuwsgierig hoe LinkedIn zich gaat ontwikkelen en hoe het ons zelfs nog meer met onze (zakelijke) levens zal kunnen helpen dan het nu al doet. Bekijk Erwin's blog voor zijn visie op LinkedIn en andere trends: www.erwinvanlun.com

Het belangrijkste voordeel van LinkedIn

Het krachtigste concept achter LinkedIn is voor mij dat het **de voor jou juiste mensen vindt EN de connecties die je met hen hebt.** Het maakt de netwerken van de mensen die we kennen zichtbaar. LinkedIn toont ons de tweedegraads en derdegraads netwerken en de paden daar naartoe. En dat is van ongekende waarde.

Waarom? Veel mensen hebben er al moeite mee hun eigen (eerstegraads) netwerk bij te houden. Het is dus onmogelijk te weten welke mensen onze contacten kennen. LinkedIn maakt dit echter zichtbaar. Dit is uitzonderlijk krachtig, in het bijzonder als je begint met het einddoel voor ogen. Veel mensen maken de 'fout' dat ze alleen maar in hun eigen netwerk kijken als ze iemand zoeken die hen kan helpen. Op die manier beperken ze zichzelf enorm.

Maar wat als we beginnen met het definiëren van de beste persoon, die vinden en dan uitzoeken via wie we bij die persoon kunnen worden geïntroduceerd?

Veronderstel bijvoorbeeld dat je op zoek bent naar een baan bij Coca Cola in jouw land (of je wilt zaken met ze doen als leverancier of als partner).

Wat de meeste mensen dan doen is nadenken over wie ze mogelijk kennen bij Coca Cola. Ze kunnen dan niemand bedenken en geven het op. Of ze bellen het algemene nummer, vragen naar de HR manager en blijven steken bij de receptioniste. Of de HR manager zegt dat ze terug zal bellen, maar doet dat niet. Frustratie!

Laten we nu eens beginnen met het doel dat we voor ogen hebben. Je stelt vast dat de HR manager de persoon is die je het beste kan helpen je doel te bereiken (een baan, een contract of expertise). Vervolgens gebruik je LinkedIn en doet een search naar 'HR manager, Coca Cola, jouw land'. Het resultaat is dat je niet alleen de exacte naam van de persoon vindt, maar ook de connecties die je deelt met deze persoon.

Als je dan naar de connecties kijkt die jullie gemeenschappelijk hebben, zou je bijvoorbeeld kunnen ontdekken dat deze persoon een connectie heeft met jouw buurman. Dit wist je niet, omdat jullie het nooit over Coca Cola hebben gehad in jullie gesprekken. Je buurman heeft hier nooit over gesproken en jij hebt hem nooit verteld dat je erin geïnteresseerd bent voor of met Coca Cola te werken. Nadat je de connectie via LinkedIn hebt gevonden en er met je buurman over hebt gesproken, ontdek je plots dat hij in het verleden met deze HR manager heeft samengewerkt. Als hij hoort van je doel, gaat hij ermee akkoord een email te sturen om je bij de HR manager te introduceren. Vijf dagen later word je uitgenodigd voor een gesprek en haal je de baan of het contract binnen.

Zonder LinkedIn had je nooit geweten dat deze twee mensen elkaar kenden!

Natuurlijk is nog niet iedereen op LinkedIn, en dus zal je nog niet elke persoon of functie kunnen vinden waarnaar je op zoek bent. LinkedIn is echter een website gespecialiseerd in zakelijk netwerken. Dit betekent dat als we in de praktijk gaan kijken dat we heel veel mensen kunnen vinden die ons kunnen helpen onze zakelijke doelen te bereiken. Wat we zien is dat het overgrote deel van alle organisaties reeds op LinkedIn is vertegenwoordigd (in de USA zijn alle Fortune 500 bedrijven op executive niveau op LinkedIn aanwezig). Misschien vind je niet de Marketing Manager van een bedrijf, maar vind je de IT Manager. De Marketing Manager is daar echter maar één stap van vandaan. Okay, dat kost wat extra moeite, maar is nog steeds stukken gemakkelijker dan voor LinkedIn bestond.

Een extra voordeel van het hebben van connecties op LinkedIn dat veel gebruikers meldden, is dat je altijd beschikt over het meest actuele e-mail adres van je contacten. Tegenwoordig veranderen mensen regelmatig van baan binnen een bedrijf of gaan ze ergens anders werken en verliezen we hun contactgegevens. Aangezien iedereen zijn eigen profiel op LinkedIn update, zal je daar steeds het meest recente e-mailadres vinden.

Wat kan LinkedIn nu voor jou betekenen?

Zoals reeds vermeld, is LinkedIn een hulpmiddel dat het netwerkproces ondersteunt. Het ondersteunt dus alle voordelen die we in het voorgaande hoofdstuk hebben genoemd.

Laten we om te verduidelijken hoe LinkedIn jou in je specifieke rol voordeel kan bieden, eens eerst de voordelen per 'taak' opsommen. Dit zal het duidelijker voor je maken hoe jij, in jouw situatie, voordeel van LinkedIn kan hebben.

In het volgende hoofdstuk zal je dan kennis maken met een basisstrategie die op iedereen van toepassing in. In het hoofdstuk 'Geavanceerde Strategieën' maak je tevens kennis met extra tips en strategieën die toegespitst zijn op elke taak die hier beschreven wordt.

Voordeel / Taak	Nieuwe klanten vinden	Een baan of stageplaats vinden	Leveranciers of partners vinden	Medewerkers vinden	Hoe helpt LinkedIn hiermee?
De juiste mensen vinden	Prospecten en klanten.	Recruiters of HR verantwoordelijken.	Leveranciers of partners.	Kandidaten.	Vind hun Profiles via zoeken of bladeren.
Informatie vinden over ...					Hun Profiles lezen voor een bijeenkomst.
Relaties onderhouden met ...					Persoonlijke berichten, ideeën delen in Discussions en vragen beantwoorden in Answers.
Recommendations krijgen die zichtbaar zijn voor iedereen, maar in het bijzonder voor ...					De mogelijkheid tot het krijgen van Recommendations.
Introductions ontvangen tot of doorverwijzingen naar ...	Prospecten en andere afdelingen bij de huidige klant.	Recruiters of HR verantwoordelijken.	Leveranciers of partners.	Kandidaten.	Via de Introductions tool of buiten LinkedIn om (email).

Voordeel / Taak	Nieuwe klanten vinden	Een baan of stageplaats vinden	Leveranciers of partners vinden	Medewerkers vinden	Hoe helpt LinkedIn hiermee?
De relaties ontdekken tussen ...	Klanten, prospecten en andere contacten.	Recruiters, HR verantwoordelijken en andere contacten.	Leveranciers of partners en andere contacten.	Kandidaten en andere contacten.	Via de Connections in hun Profiles.
	Je collega's van je eigen en andere afdelingen en prospecten*.	Je medestudenten , andere mensen die in hetzelfde banen-programma zitten en potentiële werkgevers.	Je collega's van je eigen en andere afdelingen en en potentiële leveranciers of partners.	Je collega's van je eigen en andere afdelingen en potentiële werknemers.	
Zichtbaarheid, persoonlijke branding en online reputatie van ...	Je zelf als een verkoper en je bedrijf.	Je zelf.	Je zelf en je bedrijf.	Je zelf als recruiter en je bedrijf.	Je Profile, niet alleen op LinkedIn maar ook in zoekmachines als Google, bijdragen in Answers en in Discussions.
Mond aan mond reclame	Mensen die over je schrijven zodat je prospecten misschien van je horen.	Mensen die over je schrijven zodat je nieuwe werkgever misschien van je hoort.	Mensen die over je schrijven zodat je potentiële leveranciers of partners misschien van je horen.	Mensen die over je schrijven zodat je kandidaten misschien van je horen.	Recommendations die je hebt ontvangen en mensen die over je vertellen in Discussions, jou in Answers als de expert noemen of buiten LinkedIn over je praten.

*: Hiermee voorkom je pijnlijke situaties, bijvoorbeeld dat verkopers van hetzelfde bedrijf een prospect of klant bellen zonder te weten dat hun collega's van dezelfde of een andere afdeling al contact met deze persoon hebben.

<table>
<tr><th>Voordeel / Taak</th><th>Nieuwe klanten vinden</th><th>Een baan of stageplaats vinden</th><th>Leveranciers of partners vinden</th><th>Medewerkers vinden</th><th>Hoe helpt LinkedIn hiermee?</th></tr>
<tr><td>Meldingen ontvangen als iemand van baan verandert; dit is aanleiding om contact op te nemen om te zien of ...</td><td>Je de leverancier van de nieuwe organisatie kunt worden en om te worden geïntroduceerd bij zijn of haar vervanger bij je huidige klant.</td><td>Hun nieuwe recruiter of HR verantwoordelijke is en of hij of zij gaat werken voor de organisatie waar je graag voor wilt werken.</td><td>Zij leverancier of partner kunnen worden.</td><td>Iemand misschien plotseling gekwalificeerd is voor een vacature.</td><td>Via Network Updates.</td></tr>
<tr><td rowspan="2">Trends in de markt oppikken via Discussions in Groups van ...</td><td>Klanten en prospecten.</td><td rowspan="2">De sector waarin je wilt werken.</td><td>Leveranciers of partners.</td><td>Kandidaten.</td><td rowspan="2">Discussions.</td></tr>
<tr><td>Andere sales mensen.</td><td>Je collega’s en vrienden.</td><td>Andere recruiters.</td></tr>
<tr><td>Zorgen dat mensen je zien als een expert</td><td colspan="4" rowspan="2">Je zelf</td><td>Bijdragen in Discussions en Answers (kan Expert Points opleveren).</td></tr>
<tr><td>De Groups en organisaties vinden om lid van te worden, zowel online als offline, die de juiste zijn voor ...</td><td>Via Group Search en via de Profiles van mensen in je netwerk.</td></tr>
</table>

Extra voordelen:

- **Voor verkopers**: De Network Updates zorgen er voor dat je een melding ontvangt als iemand uit je netwerk een nieuw contact legt. Dit is heel handig om gewaarschuwd te worden als één van je klanten een link legt met een vertegenwoordiger van een bedrijf dat dezelfde producten of diensten biedt als het jouwe. Dit kan aanleiding voor je zijn om weer contact met de klant op te nemen.
- **Voor mensen die op zoek zijn naar een baan**: LinkedIn biedt extra tools die je kunnen helpen. Je kunt bijvoorbeeld heel gemakkelijk op vacatures reageren en een extra hulpmiddel (JobInsider) in je browser gebruiken als je op andere websites surft.
- **Voor recruiters**: LinkedIn biedt extra tools die je kunnen helpen, bijvoorbeeld om een vacature op LinkedIn te plaatsen en een Reference search te doen.

Je project of taak effectiever en efficiënter uitvoeren

Als bovenstaande onderwerpen op jou niet van toepassing zijn, dan heb je waarschijnlijk een 'interne functie'. Of misschien 'draag je meerdere hoeden' en heb je tegelijkertijd een externe en een interne rol.

Hoewel veel mensen die alleen een interne functie hebben niet geloven dat netwerken in het algemeen en LinkedIn in het bijzonder nuttig is voor hen, kan LinkedIn ook hen vele voordelen bieden. Eén van de belangrijkste is dat, hoewel vele grotere organisaties hun telefoongidsen, 'smoelenboeken' en andere databases hebben, deze vaak heel gelimiteerd zijn en beperkt tot praktische gegevens. Maar als mensen hun Profile op LinkedIn invullen, dan zullen hun collega's niet alleen meer over hen te weten komen, waardoor ze betere teams kunnen samenstellen, maar kunnen ze ook ontdekken wie er in elkaars netwerk zit.

Voor zover ik weet is er geen enkele organisatie ter wereld die deze kennis in een intern systeem heeft opgeslagen. Dat is ook heel moeilijk te doen, want ze zouden dan elke medewerker moeten vragen om al hun connecties in een database in te geven en alles moeten updaten als er iets verandert. En aangezien de meeste mensen bijna niet genoeg tijd hebben om hun normale werk te doen, is dit het eerste waarmee ze zullen ophouden. Het basisprincipe achter LinkedIn en andere sociale en zakelijke netwerken is dat iedereen zijn of haar eigen Profile bijhoudt. Dit kan je dus nooit in een intern systeem realiseren.

Een laatste opmerking is dat mensen die voor resultaten zorgen meer visibiliteit krijgen, sneller worden gepromoveerd en als laatste ontslagen. Voor resultaten zorgen, betekent dat de taak gedaan moet worden, niet dat je alles zelf moet doen. Het vinden van de juiste mensen is cruciaal in deze nieuwe economie van specialisten.

Als je dus een 'interne functie' heb, dan kan LinkedIn je de volgende voordelen bieden:

1. Antwoorden krijgen op je vragen (via Answers of Discussions)
2. Introducties bij of doorverwijzingen naar collega's ontvangen. Dit is bijzonder nuttig als je als projectleider een team samenstelt of lid wilt worden van een team in een grote organisatie (via de Introductions tool of buiten LinkedIn om via email of telefoon)
3. De experts binnen je bedrijf identificeren (hun Profile vinden via een search of via de Expert rating)
4. Visibiliteit voor je eigen sterke punten en expertise + Personal Branding of Online Reputation (je Profile, bijdragen in Answers en in Discussions)
5. De juiste collega's identificeren in je eigen afdeling, in andere afdelingen of in andere landen (hun Profile vinden)
6. De relaties ontdekken van je collega's uit dezelfde en uit andere afdelingen (de Connections in hun Profiles bekijken)
7. Informatie over collega's ontdekken, wat de online en offline gesprekken gemakkelijker maakt (hun Profiles lezen)
8. Relaties onderhouden met collega's, in het bijzonder als ze zich in kantoren op andere locaties bevinden (Personal contacts, Discussions in Groups en vragen beantwoorden in Answers)
9. Ervoor zorgen dat je wordt gezien als expert (bijdragen in Answers en in Discussions en Expert points)
10. Mond aan mond reclame (Recommendations ontvangen en mensen die het over je hebben in Discussions, je in Answers als de expert noemen of buiten LinkedIn over je praten)
11. Aanbevelingen ontvangen (Recommendations geschreven door andere mensen, die je zelf niet kunt veranderen op LinkedIn, wat ze krachtiger maakt)
12. De juiste groepen en organisaties vinden om lid van te worden, zowel online als offline. Bijvoorbeeld alumnigroepen, vrouwengroepen of collega's met dezelfde functie (via de Profiles van mensen uit je netwerk)
13. Trends in de markt oppikken (Discussions in de Groups van je collega's, mensen met dezelfde interesses of andere 'peer' groepen)
14. Een melding ontvangen als iemand van baan verandert. Dit kan aanleiding zijn om contact op te nemen om te kijken of ze in je volgende team kunnen zitten of jij in het hunne en om te worden geïntroduceerd bij degene die hem of haar zal vervangen (via Network Updates)

Vergroot de interactie tussen de leden van je (professionele) organisatie en trek meer leden aan

Vele (professionele) organisaties hebben het er heel moeilijk mee om hun organisatie interessant genoeg voor hun leden te houden en zijn daarnaast constant op zoek naar manieren om nieuwe leden aan te trekken.

Door je eigen LinkedIn Group te beginnen, kan je op vele manieren zowel een meerwaarde geven aan het lidmaatschap voor bestaande leden als nieuwe leden aantrekken:

1. Een online aanwezigheid naast evenementen maakt het de leden mogelijk om tussen de bijeenkomsten door met elkaar in contact te blijven.
2. Leden die niet alle bijeenkomsten kunnen bezoeken, kunnen toch met elkaar in contact blijven.
3. De LinkedIn Group is een extra platform om elkaar te helpen en trends te bespreken.
4. Sommige potentiële leden hebben misschien nog nooit van je organisatie gehoord. Nu kunnen ze nadat ze de LinkedIn Group hebben gevonden, contact met je opnemen en lid worden van je organisatie.
5. De LinkedIn Group is een goed en gratis alternatief voor een forum op je eigen website. Voor veel organisaties is het moeilijk om een succesvolle community te bouwen, omdat ze geen kritische massa aan mensen hebben die deelnemen aan discussies. Als gevolg hiervan blijven mensen weg uit het forum, gaat de negatieve spiraal verder en bezoekt ook bijna niemand meer de website. Omdat mensen LinkedIn ook gebruiken om connecties te leggen met anderen en hun netwerk op te bouwen met andere mensen dan die uit jouw organisatie, blijven ze LinkedIn zeker gebruiken en bezoeken ze zo nu en dan ook je LinkedIn Group.
6. Het gratis lidmaatschap van de LinkedIn Group kan interesse genereren in een (betalend) lidmaatschap voor evenementen.

Conclusie van dit hoofdstuk

LinkedIn is een zakelijk netwerk dat de laatste jaren exponentieel is gegroeid. De belangrijkste reden om LinkedIn te gebruiken is dat het je niet alleen helpt om de mensen te vinden die je kunnen helpen bij het realiseren van je doelen, maar ook de wederzijdse contacten die je bij die mensen kunnen introduceren.

LinkedIn biedt elk profiel vele voordelen: nieuwe klanten vinden, een nieuwe baan, nieuwe medewerkers, leveranciers, partners, expertise binnen of buiten je bedrijf en alle andere informatie waarmee je je werk sneller gedaan krijgt.

Naast vele andere dingen helpt LinkedIn je relaties tussen mensen te ontdekken, toegang tot, introducties bij en doorverwijzingen naar de mensen te krijgen waar je naar op zoek bent, antwoorden te krijgen op je vragen, je visibiliteit te vergroten, de juiste groepen te vinden om lid van te worden (zowel op LinkedIn als in het echte leven), meldingen te ontvangen als mensen van baan veranderen, problemen te bediscussiëren en trends in de markt op te pikken.

Voor mensen die professionele organisaties of verenigingen leiden, helpt LinkedIn de interactie tussen de leden te stimuleren en meer leden aan te trekken.

Nu je weet wat LinkedIn allemaal voor je kan doen, laten we eens kijken naar de functionaliteiten die LinkedIn te bieden heeft.

LinkedIn: Functionaliteit

Nu we weten wat de fundamentele principes van netwerken zijn, wat LinkedIn is en welke voordelen het ook voor jou heeft, gaan we eens kijken naar de belangrijkste functionaliteiten van LinkedIn, die de laatste bouwstenen vormen voordat we kunnen beginnen met het opbouwen van een effectieve strategie voor LinkedIn. We zullen de 7 belangrijkste onderdelen van het menu aan de linkerkant van de LinkedIn website onder de loep nemen en de 4 belangrijkste onderdelen van het menu bovenaan, en kort uitleggen wat ze doen.

Als je al een tijdje gebruiker van LinkedIn bent, dan zou je geneigd kunnen zijn dit hoofdstuk over te slaan. Ik raad je echter aan dat niet te doen, want ik zal ook enkele interessante details met je delen die je kunnen helpen LinkedIn nog beter en efficiënter te gebruiken.

Dit is het 'gevaarlijkste' hoofdstuk van dit boek in die zin dat de functionaliteit en vormgeving van LinkedIn al weer veranderd kunnen zijn tussen het moment waarop ik dit hoofdstuk schrijf en het moment waarop je het leest.

In het volgende hoofdstuk zullen we dan beginnen met onze online strategie in de praktijk te brengen. Daar zullen we ook nader ingaan op de details van de LinkedIn functionaliteiten.

Het is nu een goed moment om in te loggen op LinkedIn en zelf te ervaren waar ik over schrijf.

Eén opmerking: op LinkedIn bestaat je netwerk uit de eerste drie graden. Mensen die verder van je af staan worden beschouwd als 'out of your network'.

Het menu aan de linkerkant

Home

Je Home Page is de pagina die je als eerste te zien krijgt als je inlogt op LinkedIn. Dit is een portaalpagina met berichten en updates van mensen uit je netwerk.

De meeste mensen kijken niet echt naar deze pagina, omdat ze via email al weten dat iemand contact met hen heeft opgenomen, maar toch is het interessant om deze pagina eens wat gedetailleerder te bekijken.

Op de Home Page staan twee kolommen.
Laten we beginnen met de linker kolom:

- **Inbox:** de laatste 5 berichten waarop je nog niet hebt geantwoord.
- **Network Updates**: Connection Updates, Status Updates, Group Updates, Questions & Answers en Profile Updates. Dit zijn allemaal updates over mensen uit je netwerk. Het kan interessant zijn om

deze te bekijken, omdat ze aanleiding kunnen geven om met iemand contact op te nemen. Bijvoorbeeld, als je weet dat je contactpersoon bij een bepaald bedrijf dat bedrijf gaat verlaten en je dus onmiddellijk actie moet ondernemen om met de vervanger contact op te kunnen nemen.

- **Other Group Updates**: als er iets verandert in een Group waar je lid van bent (nieuwe leden, nieuwe discussies, ...)
- **Just Joined LinkedIn**: collega's en oud-klasgenoten die gerelateerd zijn met je Profile. Op deze manier is het heel gemakkelijk om collega's en oud-klasgenoten te vinden zonder daar zelf elke dag naar te moeten zoeken. Het is heel goed om met deze mensen contact op te nemen, omdat zij je al kennen en sneller geneigd zullen zijn je een Recommendation te geven. Om je relaties met hen te versterken zou je bijvoorbeeld een paar tips uit dit boek aan hen kunnen sturen waarmee ze direct aan de slag kunnen. Omdat ze nieuw zijn op LinkedIn, zullen ze veel vragen hebben over hoe ze dat moeten gebruiken. Door ze uit jezelf te helpen en op dit boek of mijn blog te attenderen, kan je meteen beginnen iets te delen zonder daarvoor iets terug te verwachten.

De kolom aan de rechterkant bevat:

- **People you may know**: LinkedIn suggereert mensen die je misschien kent. Hoe berekent LinkedIn dit? Uit de FAQ pagina's van LinkedIn: *'Deze functionaliteit werkt door te kijken naar gemeenschappelijke eigenschappen tussen individuen (bijv. zelfde bedrijf, sector of school) en doet een voorspelling over de waarschijnlijkheid dat je deze persoon misschien kent. Merk op dat dit slechts suggesties zijn.'*
- Een advertentie. Helaas kan je daar niet vanaf komen ☺
- **Who's viewed my Profile**: enkele statistieken over mensen die je Profile hebben bezocht. Soms zal je zien wie het was, soms zie je alleen een omschrijving. Waar komt dit verschil vandaan? Dat hangt af van wat die persoon zelf heeft ingevuld in zijn 'Account & Settings' onder 'Privacy Setting' en dan 'Profile Views'. Dit is standaard ingesteld op 'Only show my anonymous Profile characteristics, such as industry and title'. Omdat maar weinig mensen deze instellingen veranderen, zal je dit het vaakst zien als mensen je Profile hebben bekeken. M.a.w. je zal slechts af en toe de naam zien van de persoon die jouw Profile heeft bezocht.
- **Events**: een veld met een 'Search' en 'Browse' functie waarmee je evenementen kunt vinden die interessant voor je zouden kunnen zijn. Als je op de link 'Browse Events for you' klikt, komt je op de Events-pagina. Op die pagina kan je niet alleen evenementen vinden die interessant voor je zouden kunnen zijn, maar ook je eigen evenement toevoegen. Ik ga er vanuit dat LinkedIn in de toekomst meer met deze Event-functionaliteit zal gaan doen.

- **Andere toepassingen, zoals Answers, Jobs, People en Applications**: dit zijn kleine toepassingen ('*Applications*'), die je kunt aanpassen aan je eigen behoeften. De toepassingen die je niet nodig hebt, kan je wissen. Je kunt ook extra toepassingen toevoegen. Ik heb bijvoorbeeld drie Answer Applications op mijn Home Page. Eén over het onderwerp 'Using LinkedIn', één over 'Professional Networking' en één over 'Professional Development'. Dit zijn gebieden waar mijn expertise andere mensen kan helpen en waar ik graag mijn zichtbaarheid wil vergroten. Door deze toepassingen toe te voegen, krijg ik een melding als er een vraag wordt gepost. Zonder de toepassingen had ik dat misschien gemist.

Zoals je ziet, staat er op de Home Page zeer interessante informatie. Trek de volgende keer als je inlogt op LinkedIn dus wat tijd uit om je Home Page eens goed te bekijken!

Groups

Een tamelijk nieuw onderdeel van LinkedIn is gewijd aan Groups. In feite bestonden de Groups al een tijdje, maar LinkedIn voegt nu steeds meer functionaliteiten toe aan dit deel van de website. Hier ben ik heel blij mee, omdat dit de website nog waardevoller maakt.

Onder 'Groups' zijn de drie hoofdopties:

- My Groups: overzicht van de Groups waar je lid van bent
- Groups Directory (met search en browse functionaliteit)
- Create a Group: als je je eigen Group wilt starten

In elke Group zijn de volgende opties beschikbaar (een aantal van deze opties kunnen worden aan- en uitgezet door de Group Manager):

- Overview: portaalpagina van de Group, met een overzicht van alle andere items
- Discussions: Questions en Answers van leden van de Group
- News: links (naar artikelen) die binnen deze Group werden gepost
- Updates: berichten
- Members: overzicht van de leden van deze Group
- Settings:
  - Visibility settings: wel of niet het logo van de Group in je Profile tonen
  - Contact settings: wel of niet 'digest emails' van de Group ontvangen (+ frequentie), wel of niet leden van de Group toestaan om via LinkedIn contact met je op te nemen
- Group Profile: beschrijving van de Group
- Manage: alleen zichtbaar voor Group Managers

Je Profile

Netwerken op LinkedIn begint met het maken van je eigen Profile. Dit is je representatie op LinkedIn. Het zal je helpen zichtbaarheid te creëren en door andere mensen te kunnen worden gevonden. Het is dus belangrijk om voldoende aandacht te besteden aan het maken van je Profile.

Moet het meteen goed, perfect en 100 % compleet zijn? Nee, je kunt beginnen met een eenvoudig Profile en daar langzamerhand steeds meer details aan toevoegen. Levens van mensen zijn niet statisch, dus blijf je Profile updaten elke keer als er iets in je leven gebeurt dat de moeite van het opnemen in je Profile waard is.

LinkedIn biedt je twee Profiles:

- **Your Profile on LinkedIn** dat alleen kan worden bekeken door andere leden van LinkedIn die binnen jouw netwerk (eerste drie graden) zitten, en door mensen met Premium Accounts.
- **Your Public Profile** dat door iedereen kan worden bekeken en dat ook door zoekmachines als Google, Yahoo en MSN Live kan worden gevonden. Je controleert zelf welke delen van je Profile worden opgenomen in je Public Profile.

LinkedIn heeft een ingebouwde functionaliteit die je laat zien hoe 'compleet' je Profile is en ook in welk percentage elk stuk informatie in je Profile eraan bijdraagt om de 100% te bereiken.

Onder Profile vind je ook de tools om Recommendations van anderen te accepteren, om te kiezen of je deze wel of niet toont, om anderen Recommendations te geven en om anderen om Recommendations te vragen.

In het volgende hoofdstuk zal ik dieper ingaan op de verschillende aspecten van je Profile, aangevuld met enkele do's en don'ts.

Contacts

Een netwerk is slechts een netwerk als er connecties met andere mensen zijn.

Onder 'Contacts' kan je je huidige Connections zien. Vanaf deze pagina kan je ook Connections importeren, toevoegen en verwijderen.

Merk op: je kunt je Connections op drie manieren filteren: mensen met nieuwe Connections, per locatie en per sector.

Vanaf deze pagina kan je ook de Network Statistics bekijken: je kunt zien hoeveel mensen er in je eerstegraads, tweedegraads en derdegraads netwerk zitten en hoeveel in het hele netwerk. Andere informatie die je op deze pagina kunt vinden zijn Region Access (wat zijn de top 5 gebieden waar je Connections zitten) en Industry Access (wat zijn de top 5 sectoren waar je Connections zitten).

Inbox

Onder 'Inbox' kunt je alle Messages vinden die je hebt ontvangen of verzonden. De ontvangen en verzonden Messages kan je op twee manieren vinden:

- Allemaal samen als je klikt op 'Inbox'. Als header zie je dan 'Action Items'. Hier vind je alle Invitations en andere Messages die je hebt ontvangen waar je nog geen actie op hebt ondernomen (hetgeen in de praktijk betekent: Accepted/Declined, Replied of Archived). Nadat een actie is ondernomen verplaatst LinkedIn automatisch de Message naar de specifieke categorie waarin hij thuishoort.
- Onder verschillende categorieën: Messages, InMails, Introductions, Invitations, Profiles, Q&A, Jobs, Recommendations en Groups. Een speciale categorie is Network Updates.

Hoewel je Messages vanuit je Inbox kunt versturen, is onze ervaring dat niet veel mensen via hun Inbox actie ondernemen, tenzij ze iemand uit hun eerstegraads netwerk een vraag willen stellen. Mensen ondernemen meestal actie vanuit Groups, of als ze iemands Profile bekijken, of als ze vragen beantwoorden in Answers en Discussions. Maar het is goed om te weten dat er één plek is waar je al je Messages terug kunt vinden.

Applications

Op het moment dat ik dit schrijf is Applications een gloednieuw onderdeel van LinkedIn. In dit onderdeel kan je één of meer Applications, bijvoorbeeld een blog of een slideshow, in je LinkedIn Profile integreren. Een heel interessante mogelijkheid.

Dit zijn de Applications die beschikbaar waren toen LinkedIn ermee begon (de uitleg van de Applications is afkomstig van de LinkedIn website, en ik heb de categorieën eraan toegevoegd):

Leeslijsten

- **Reading List by Amazon:** Breid je professionele Profile uit door met andere LinkedIn leden te delen welke boeken je aan het lezen bent. Ontdek wat je zou moeten lezen door de updates te volgen van je connecties, de mensen in je vakgebied en andere LinkedIn leden die professioneel interessant voor je zijn.

Blogs

- **Wordpress:** Verbind je virtuele levens met de WordPress LinkedIn Application. Met de WordPress App kan je je WordPress blog posts synchroniseren met je LinkedIn Profile en iedereen die je kent op de hoogte houden.
- **Blog Link**: Met Blog Link kan je het meeste uit je LinkedIn relaties halen door je blog met je LinkedIn Profile te verbinden. Blog Link helpt jou en je professionele netwerk met elkaar in verbinding te blijven.

Enquêtes

- **LinkedIn Polls**: De Polls Application is een marktonderzoeks-tool waarmee je data kan verzamelen van je connecties en het professionele publiek op LinkedIn.

Presentaties en bestanden

- **SlideShare presentations**: SlideShare is de beste manier om presentaties te delen op LinkedIn! Je kunt je eigen presentaties uploaden en tonen, presentaties van collega's bekijken en experts vinden binnen je netwerk.
- **Google Presentation**: Presenteer jezelf en je werk. Upload een .PPT of gebruik Google's online applicatie om een presentatie op te nemen in je Profile.

Online samenwerking

- **Box.net files**: Voeg de Box.net Files Application toe om al je belangrijke bestanden online te beheren. Met Box.net kan je op je Profile content delen en samenwerken met vrienden en collega's.
- **Huddle Workspaces**: Huddle geeft je private, beveiligde online workspaces met tools voor projecten, om informatie te delen en om samen te werken met je connecties.

Marketwatch

- **Company Buzz**: Heb je je ooit weleens afgevraagd wat mensen over je bedrijf zeggen? Company Buzz toont je de Twitter activiteiten die met je bedrijf zijn geassocieerd. Bekijk Tweets (berichten verstuurd via Twitter), trends en top keywords. Snij je topics op maat en deel ze met je medewerkers.

Reizen / locaties delen

- **My Travel**: Bekijk waar je LinkedIn netwerk naartoe reist en wanneer je in dezelfde stad zult zijn als je collega's. Deel toekomstige trips, je huidige locatie en reisgegevens met je netwerk.

Zoals je ziet, zijn er al veel Applications en ik verwacht dat het er veel meer zullen worden. De integratie schijnt behoorlijk goed te werken (hoewel ik niet alle Applications heb getest). Het kostte maar 20 seconden om mijn blog te integreren in mijn LinkedIn Profile (ik gebruik trouwens WordPress als blog tool).

Waarom zijn deze Applications interessant? Omdat ze je kunnen helpen je zichtbaarheid te vergroten en andere mensen te helpen. Denk steeds aan de netwerk attitude en de eerste hoek van de Gouden Driehoek van Netwerken uit het eerste hoofdstuk (Delen). Met deze Applications kan je heel gemakkelijk je expertise delen met je netwerk.

Add Connections

De laatste functionaliteit aan de linkerkant is de groene knop 'Add Connections'.

Als je op deze knop klikt, kan je zien dat er verschillende manieren zijn om vanuit LinkedIn Connections aan je netwerk toe te voegen:

- **Invite contacts**: je kunt 6 Contacts uitnodigen door hun voornaam, achternaam en emailadres in te typen. Onder de box zie je 'Edit/ Preview Invitation Text'. **Denk er steeds aan om hierop te klikken en de standaard uitnodigingstekst te vervangen door een persoonlijke tekst!**
- **Import contacts**: je kunt ook Contacts importeren vanuit Outlook of webmail applicaties als Gmail, Hotmail, Yahoo en AOL. Het is goed om te weten dat de Contacts die je hebt geïmporteerd zullen verschijnen onder 'Contacts/Imported Contacts'. Alleen jij kunt deze zien. Je moet deze mensen nog steeds een Invitation to Connect sturen vanuit 'Imported Contacts'. Een kleine opmerking: toen ik overstapte op Windows Vista werkte deze functionaliteit niet meer op mijn computer. Gelukkig hielpen de LinkedIn Help Pages me hier. Dit is wat je moet doen als je een Processing Error krijgt bij het gebruik van Internet Explorer 7 op Windows Vista (vertaling van de tekst uit de LinkedIn Help Pages):

  Beveiligingsinstellingen op Internet Explorer 7 op Windows Vista kunnen er de oorzaak van zijn dat je de volgende foutmelding krijgt: 'There was an error processing your request'. Om je contacten te uploaden moet je de volgende Beveiligingsinstellingen aanpassen.

  - *Open Internet Explorer 7.*
  - *Ga naar 'Tools' en kies 'Internet Opties'.*
  - *Selecteer tabblad 'Beveiliging'.*
  - *Selecteer de zone 'Internet'.*
  - *Zet het vinkje in het vakje 'Maak Beschermde Modus mogelijk' uit.*
  - *Klik op 'Toepassen', dan op 'OK' totdat je het dialoogvenster verlaat.*
  - *Herstart IE 7 - De statusbalk aan de onderkant zou nu moeten weergeven 'Internet | Beschermde Modus: Uit'.*
  - *Probeer opnieuw je contacten naar LinkedIn te uploaden.*
- **Collega's**: je kunt huidige collega's en collega's uit het verleden zoeken. LinkedIn gebruikt de informatie in je Profile over de bedrijven waarvoor je werkt of hebt gewerkt en vergelijkt die met de informatie over de bedrijven waar andere LinkedIn leden voor werken of hebben gewerkt.

- **Classmates**: je kunt huidige klasgenoten en klasgenoten uit het verleden zoeken. LinkedIn gebruikt de informatie in je Profile over de scholen waar je les volgt of hebt gevolgd en vergelijkt die met de informatie over de scholen waar andere LinkedIn leden les volgen of hebben gevolgd. Je hebt hier zelfs nog meer opties: mensen terugvinden die in dezelfde jaren hebben gestudeerd als jij of in hetzelfde jaar zijn afgestudeerd.

Je kunt ook contacten direct vanuit Outlook uitnodigen. Die optie zullen we bespreken in het hoofdstuk over extra tools.

Menu bovenaan

People

Onder 'People' vind je de optie die het meest wordt gebruikt op LinkedIn: de zoekoptie. De eenvoudigste manier om op LinkedIn te zoeken, is naar (sleutel) woorden in Profiles, via de zoekbox die op bijna elke pagina op LinkedIn rechts bovenaan is te vinden.

Daarnaast kan je op twee andere manieren zoeken, als je op 'People' klikt:

- Advanced People Search: hier kan je in je search diverse parameters gebruiken
- Reference Search: deze zoekoptie laat je mensen vinden die gedurende een specifieke periode voor een specifiek bedrijf werkten. Hiermee kan je bijvoorbeeld collega's vinden van iemand die je wilt aannemen. Om de details van deze functionaliteit te kunnen zien, moet je je gratis account upgraden naar een betalende account.

Jobs

Omdat dit heel specifiek is voor mensen die op zoek zijn naar een baan of voor recruiters die een vacature willen invullen, wordt deze functionaliteit gedetailleerder behandeld in het hoofdstuk 'Geavanceerde Strategieën'.

Answers

Onder 'Answers' vind je 5 categorieën:

1. Answers Home: portaalpagina van het Answers gedeelte
2. Advanced Answers Search: vind Questions en Answers door middel van keywords en categorieën. Je kunt naar vragen zoeken die nog open staan om een antwoord te ontvangen of die al afgesloten zijn. Het is goed om hier te beginnen voordat je zelf een vraag gaat stellen. Misschien vind je hier al het antwoord op je vraag.

3. My Q&A: overzicht van publieke en privé vragen die je hebt gesteld of beantwoord.
4. Ask a question: als je zelf een vraag stelt, geef dan genoeg details. Gebruik de opties voor de titel, details en categorisering en geef aan of je vraag gebonden is aan een specifieke geografische regio of niet.
5. Answer Questions: je kunt hier bladeren door de open vragen, gesloten vragen en experts of bladeren via categorieën. Het verschil met de Advanced Answers Search is dat je bladert door de vragen i.p.v. er naar zoekt.

Companies

Onder 'Companies' zijn er twee opties: Companies en Service Providers.

Laten we eerst naar Companies kijken:

- Om een bedrijf te vinden, kan je zoeken of bladeren per sector of op naam, en je krijgt hierbij ook een overzicht van de bedrijven in je eerstegraads netwerk.
- Als je op zoek bent naar een groter bedrijf, dan kan je enkele interessante gegevens en statistieken zien:
  - **Wie uit je eerstegraads en tweedegraads netwerk voor dat bedrijf werkt:** een interessant startpunt als je zaken wilt doen met dit bedrijf.
  - **New Hires**: als je ziet welk type profielen het bedrijf aanneemt en op welke snelheid, dan kan je misschien zakelijke kansen zien.
  - **Recent Promotions and Changes**: als je ziet dat je belangrijkste contactpersoon van positie is veranderd, dan kan je onmiddellijk actie ondernemen, zodat je wordt geïntroduceerd bij zijn of haar vervanger. Of, als het je niet was gelukt in contact te komen met de vertrokken sales manager, dan lukt het je misschien nu wel met de nieuwe sales manager.
  - **Popular Profiles**: het kan interessant zijn om te zien wie dat zijn en welke rol ze officieel en officieus voor hun bedrijf spelen.
  - **Related Companies**
    - **Divisions**: als een bedrijf al klant van je is, dan zijn hun divisies misschien extra klanten voor je. Het verbaast me elke keer weer hoe vaak het wiel opnieuw wordt uitgevonden en hoe slecht de communicatie tussen afdelingen en divisies is. Hoe groter een organisatie des te meer dit geldt. Maak dus gebruik van LinkedIn om de mensen in die andere divisies te vinden en vraag vervolgens om een introductie of doorverwijzing.

Als je op zoek bent naar een baan bij het moederbedrijf, dan is het ook interessant om uit te zoeken of er divisies zijn die op zoek zijn naar iemand of dat iemand uit een divisie je kan introduceren bij iemand van het moederbedrijf.

- **Career Path for employees of this company** (voor en na): zie de opmerkingen bij Divisions.
- **Employees of this company are most connected to**: zie de opmerking bij Divisions.

- **Key Statistics**: het aantal mensen dat voor dit bedrijf werkt, de meest voorkomende functietitels, de topscholen, de gemiddelde leeftijd en het percentage mannelijke/vrouwelijke medewerkers.

Onder 'Service Providers' vind je drie opties:

- **Services Home**:
  - Wie krijgt een plek in deze gids? Iedereen die op z'n minst één Recommendation heeft ontvangen.
  - Je kunt hier zien wie je hebt aanbevolen en ook wie is aanbevolen door je eerstegraads netwerk, door je tweedegraads netwerk en door het hele LinkedIn netwerk. Je kunt ook door categorieën bladeren.
  - Dit is een goede plek om te beginnen als je op zoek bent naar een leverancier of partner. De meeste mensen maken hiervoor echter gebruik van de zoekfunctie van LinkedIn.
- **Make a recommendation**: beveel iemand aan. Je kunt dit ook doen als je iemand's Profile bekijkt.
- **Request a recommendation**: vraag iemand om je aan te bevelen. In een volgend hoofdstuk zal ik gedetailleerder uitleggen hoe dit aan te pakken.

Account & Settings

Dit deel is waarschijnlijk het meest onbekende deel van LinkedIn, maar het kan je echt helpen je ervaring en je resultaten op LinkedIn drastisch te verbeteren, dus neem even de tijd om de volgende pagina's te lezen.

Om te beginnen kan je hier zien hoeveel Introductions en InMails je nog tot je beschikking hebt. Je kunt hier ook de verschillende types van betalende accounts bekijken.

Laten we eerst bespreken wat Introductions en InMails zijn en welke types account er zijn, en vervolgens gedetailleerder ingaan op de Accounts & Settings pagina.

Introductions: Messages die je naar mensen uit je netwerk kunt sturen. Dat wil zeggen: mensen die in je tweedegraads en derdegraads netwerk zitten. Gratis accounts kunnen 5 introducties tegelijkertijd 'op weg' hebben. Andere accounts meer. Merk op: naar de mensen uit je eerstegraads netwerk, je directe contacten, kan je zoveel Messages sturen als je maar wilt.

InMails: Messages naar iedereen van wie de instellingen de acceptatie van InMails toestaan (zie onderstaand voor de instellingen). Zo iemand hoeft niet tot je eerstegraads, tweedegraads of derdegraads netwerk te behoren. InMails zijn er alleen voor betalende accounts.

Memberships: naast het gratis account zijn er op het moment dat ik dit schrijf 4 andere soorten lidmaatschappen: Business, Business Plus, Pro en Corporate Solutions (deze laatste is speciaal voor recruiters gemaakt). Het belangrijkste verschil tussen de betalende accounts en het gratis account is dat de betalende accounts meer Introductions en InMails ter beschikking hebben, plus de mogelijkheid om deel uit te maken van het OpenLink netwerk. Leden van het OpenLink netwerk kunnen elkaar 'gratis' (dat wil zeggen dat ze niet van het aantal Introductions en InMails worden afgetrokken) Messages sturen. Meer informatie over de soorten lidmaatschappen en mijn mening daarover kan je vinden in het hoofdstuk 'Antwoorden op brandende vragen en verhitte discussie-onderwerpen'. Trouwens, op de FAQ-pagina's stelt LinkedIn: 'Lid worden van LinkedIn is en blijft gratis' (antwoord ID 55).

Laten we nu eens door alle andere opties op de Account & Settings pagina gaan en bekijken wat ze betekenen.

Profile Settings

Hier kan je je Profile controleren. De meeste opties hier zijn hetzelfde als in de 'Profile' functie in het linker navigatiemenu dat je op alle pagina's ziet, en dat we in een volgend hoofdstuk zullen behandelen.

- **My Profile**: hetzelfde als de 'Profile' functie in het linker navigatiemenu dat je op alle pagina's ziet
- **My Profile Photo** (ook via je Profile):
  - Upload een foto
  - Maak de foto zichtbaar voor alleen je eigen connecties, je netwerk (tot de derde graad) of voor iedereen
- **Public Profile**: hetzelfde als de 'Profile' functie in het linker navigatiemenu dat je op alle pagina's ziet, en vervolgens Edit Public Profile Settings
- **Manage Recommendations**: hetzelfde als de 'Profile' functie in het linker navigatiemenu dat je op alle pagina's ziet
- **Status Visibility**: maak je status zichtbaar voor alleen je eigen connecties, je netwerk (tot de derde graad) of voor iedereen. 'Status' betekent een omschrijving van wat je op dit moment aan het doen bent. Dit werkt net als de Tweets van Twitter (www.twitter.com) of de 'What are you doing right now?' functie van Facebook (www.facebook.com).

Email notifications

Hier kan je beheren welke en hoeveel LinkedIn gerelateerde Messages en e-mails je wilt ontvangen.

- **Contact settings**:
  - *What type of messages do you want to receive*: Introductions en InMails of alleen Introductions. Dit betekent dat je kunt kiezen tussen het alleen ontvangen van Messages van je tweedegraads en derdegraads netwerk (via je eerstegraads netwerk) of ook van mensen buiten je netwerk met een betalend lidmaatschap. Deze optie kan je combineren met 'Invitation Filtering' (zie onderstaand), waarmee je alleen Messages ontvangt van mensen die je kent.
  - *Opportunity preferences*: je kunt hier kiezen of mensen wel of niet contact met je kunnen opnemen betreffende één of meer van de volgende onderwerpen:
    - Career opportunities
    - Consulting offers
    - New ventures
    - Job inquiries
    - Expertise requests
    - Business deals
    - Personal reference requests
    - Requests to reconnect
  - *What advice would you give to users considering contacting you*: vrij tekstveld. Hoewel ik denk dat niet veel mensen dit zullen lezen, is het toch een goed idee om deze vraag te beantwoorden, zodat je er op terug kunt komen als mensen contact met je opnemen. Bv. als iemand je via een bericht op LinkedIn contacteert voor een nieuwe baan terwijl je hebt aangegeven dat je enkel openstaat voor Consulting Offers en enkel via email of telefoon wil gecontacteerd worden.
- **Receiving Messages**: hier controleer je hoe je emails ontvangt van LinkedIn. De vier mogelijkheden zijn:
  - Individual Email: stuur me e-mails onmiddellijk
  - Daily Digest Email: stuur me e-mails in één bundel per dag
  - Weekly Digest Email: stuur me e-mails in één bundel per week
  - No Email: ik lees Messages op de website

    Enkele van bovenstaande opties zijn alleen beschikbaar voor individuele contacten, bijvoorbeeld Invitations, en niet voor

Group Messages, en omgekeerd. Voor mij werkt de optie 'Individual Email' het beste voor individuele contacten en de optie 'Weekly Digest Email' het beste voor Groups.

- **Invitation Filtering**: hier zijn er drie mogelijkheden:
    - All invitations (standaard)
    - Only invitations from people who know my email address or appear in my "Imported Contacts" list.
    - Only invitations from people who appear in my "Imported Contacts" list.

    Als je teveel ongewenste uitnodigingen krijgt, dan kan je overwegen om je instellingen te veranderen, maar aan de andere kant kan je daardoor ook kansen mislopen.

Home Page Settings

Op het moment dat ik dit schrijf is er slechts één onderdeel: de manier waarop je Network Updates op je Home Page worden getoond.

Je kunt hier bepalen hoeveel Updates je wilt laten zien op je Home Page (standaard 15, maar je kunt tot 25 gaan) en welke soorten Updates moeten worden getoond en welke verborgen. Ik persoonlijk ben bijvoorbeeld geïnteresseerd in 'Questions from my connections', maar niet in 'Jobs posted by my connections' (hoewel ik die informatie zou kunnen gebruiken om iemand uit mijn netwerk te helpen bij het vinden van een nieuwe baan en iemand anders bij het invullen van een vacature).

RSS Settings

RSS betekent Really Simple Syndication. Wat het in de praktijk betekent, is dat je je kunt 'abonneren' op informatie die je interessant vindt en deze informatie vervolgens kunt lezen in een RSS reader. Een RSS reader kan een webpagina zijn waarop alle informatie waarop je bent geabonneerd in één overzicht wordt getoond, of het kunnen extra mappen in een e-mailprogramma zijn. Wat RSS in de praktijk doet, is dat het je alle informatie waarin je bent geïnteresseerd op één plek toont, zodat je niet tientallen websites hoeft te bezoeken om die informatie te vinden.

Je kunt je in dit deel dus abonneren op de RSS feed voor je persoonlijke Network Updates en Answers. Trouwens, elke categorie Answers heeft z'n eigen feed.

Als je RSS gebruikt, kan dat een interessant alternatief zijn voor de Updates op je Home Page. De meeste mensen kijken sneller naar een RSS bericht dan naar een Message op hun LinkedIn Home Page.

Personal Information

Hier controleer je de basisgegevens van je account.

- **Name and Location**: wijzig hier je naam en locatie. Je kunt hier ook aangeven of mensen buiten je netwerk alleen maar de eerste letter van je achternaam kunnen zien (je netwerk kan nog steeds je voornaam en achternaam zien).
- **Email addresses**: voeg hier alle e-mailadressen toe waarop je verwacht uitnodigingen te krijgen. Zorg ervoor dat je minstens één persoonlijk adres hebt (bijvoorbeeld een Gmail of Hotmail adres) dat je altijd zult behouden, ongeacht voor welke organisatie je werkt.
- **Change Password**: spreekt voor zich ☺
- **Close Your Account**: naar mijn mening is de enige reden om een LinkedIn account te sluiten als je meer dan één account hebt. Ik ontmoet veel mensen die drie jaar geleden een account hebben geopend toen ze door iemand werden uitgenodigd, en vervolgens na het veranderen van baan een andere account openden. Het is goed om te weten dat LinkedIn niet in staat is om accounts met elkaar te laten versmelten. Ze adviseren om alle informatie en connecties naar één account te verplaatsen en de andere account vervolgens te sluiten. Als je hierbij meer hulp nodig hebt, dan is er de LinkedIn helpdesk die je kan assisteren.

Privacy Settings

Hiermee kan je nog verder bepalen wat mensen wel of niet van je te zien krijgen.

- **Partner Sites**: op het moment dat ik dit schrijf, is er maar één partner website (NY Times), die LinkedIn gebruikers een meer gepersonaliseerde ervaring geeft als ze op de NY Times website surfen. Je kunt deze optie aan (standaard) of uitzetten.
- **Research Surveys**: vertaling van de website: '*LinkedIn en zijn research partners kunnen een geselecteerde groep gebruikers uitnodigen om deel te nemen aan online marktonderzoeken. Gebruikers worden geselecteerd op basis van niet-persoonlijk informatie, zoals functietitel, bedrijfsgrootte of regio. Deelname is 100% vrijwillig en persoonsgegevens zoals naam en e-mailadres zullen nooit worden blootgegeven.*' Je kunt er voor kiezen om verzoeken tot deelname aan Online Market Research Studies die in relatie staan tot je professionele expertise te ontvangen (standaard), of niet.
- **Connections Browse**: hier kan je kiezen of mensen uit je eerstegraads netwerk je connecties kunnen zien (standaard) of niet. Deze optie leidt regelmatig tot discussies. Zie het hoofdstuk 'Antwoorden op brandende vragen en verhitte discussieonderwerpen'.

- **Profile Views**: kies wat anderen zien als je hun Profile hebt bezocht
    - Show my name and headline
    - Only show my anonymous Profile characteristics, such as industry and title (standaard). Opmerking: dit is de reden waarom je meestal geen naam ziet als je de functie 'Who viewed my Profile' gebruikt.
    - Don't show users that I've viewed their Profile
- **Viewing Profile Photos**: hier kan je bepalen wiens Profile foto's je te zien krijgt.
    - No One
    - My Connections
    - My Network
    - Everyone

    De enige reden die ik kan bedenken om niet te kiezen voor 'Everyone' is als je een recruiter bent die onbevooroordeeld wil blijven.
- **Profile and Status Updates**: hier kan je kiezen of je Connections op de hoogte worden gebracht als je je Profile of Status verandert (standaard) of niet. 'Status' is wat je hebt ingevuld bij 'What are you doing right now?'
- **Service Provider Directory**: kies hier of je wilt worden opgenomen in de Service Provider Directory (standaard) of niet. Om feitelijk te worden opgenomen moet je minstens één Recommendation hebben.
- **Authorized Applications**: op het moment dat ik dit schrijf zijn er nog geen Authorized Applications beschikbaar.

My Network

Op het moment dat ik dit schrijf, is hier slechts één onderdeel: Using Your Network. Hier kan je kiezen hoe je netwerk je kan helpen (je kunt van geen tot alle opties selecteren):

- Find a job
- Find consulting or contracting positions
- Hire employees or contractors
- Sell products or services to companies
- Investigate deals with companies
- Find information about industries, products, or companies
- Find professionals interested in my new venture or product

Conclusie van dit hoofdstuk

Je hebt nu een gevoel gekregen van de functionaliteiten die de LinkedIn website biedt. Je hebt ook extra informatie gekregen over de betekenis van sommige opties en hoe die je kunnen helpen om LinkedIn effectiever en efficiënter te gebruiken.

Laten we nu eens in het volgende hoofdstuk gaan bekijken hoe we LinkedIn kunnen beginnen te gebruiken op een manier die resultaten oplevert.

Hoe LinkedIn gebruiken: basisstrategie

In dit hoofdstuk zullen we de basisstrategie om succesvol te worden op LinkedIn bespreken. Dit is een basisstrategie die voor iedereen geldt. In een volgend hoofdstuk richten we de aandacht op geavanceerdere strategieën, die zijn gericht op de verschillende “taken” die we in het eerste hoofdstuk hebben besproken.

We zullen in dit hoofdstuk behandelen hoe je een goed Profile maakt, hoe je je netwerk opbouwt, hoe je je netwerk uitbreidt, hoe je je visibiliteit opbouwt en wat de meerwaarde van Groups is.

Hoewel ik al eerder had geschreven dat het het beste is om ingelogd te zijn op LinkedIn terwijl je dit boek leest, geldt dat in het bijzonder voor dit hoofdstuk.

Een goed Profile bouwen

Gevonden worden door andere mensen begint bij het hebben van een goed Profile. Ook als je andere mensen uitnodigingen stuurt, is je Profile heel belangrijk, zodat mensen kunnen besluiten of ze al dan niet met je willen connecteren.

Een Profile met de juiste informatie biedt je ook de kans om je zichtbaarheid te vergroten, wat je ‘personal brand’ en online reputatie versterkt. Dit zal het gemakkelijker voor je maken om de juiste mensen aan te trekken.

Het is ook belangrijk om te begrijpen dat een goed Profile niet alleen je zichtbaarheid op LinkedIn, maar op het hele web vergroot. Google en andere zoekmachines indexeren ook een deel van de informatie op LinkedIn, namelijk van je Public Profile. En omdat LinkedIn een hoge PageRank heeft in Google (wat betekent dat LinkedIn een heel populaire website is), zullen de Profiles ook zeer hoog in de zoekresultaten verschijnen.

Eén opmerking voordat we beginnen: Sommige mensen hebben de neiging in hun Profile iets anders te schrijven dan hoe het in werkelijkheid gegaan is (ja, ik bedoel dat ze liegen ☺). Vermijd dat vooral, want mensen zullen het op een bepaald ogenblik toch ontdekken en dat zal altijd net op het verkeerde moment zijn.

Als algemene regel geldt: LinkedIn is een zakelijke netwerkwebsite. De focus ligt op de professionele kant van mensen (met ook een klein deel voor persoonlijke interesses). Steeds meer mensen gebruiken LinkedIn om iemand op te zoeken voordat ze een ontmoeting met die persoon hebben. Dit zorgt ervoor dat LinkedIn de eerste zakelijke indruk is die iemand van je krijgt. Zorg er dus voor dat de eerste indruk die je maakt een goede is!

Laten we eens kijken wat je kan doen om je Profile op LinkedIn en op het web te verbeteren.

1. **Your Name, Professional Headline, Location and Industry**:
    - **Name:** als je gevonden wil worden door andere mensen die je kennen, gebruik dan de naam die je in professionele omgevingen gebruikt. Dus geen bijnamen.
    - **Professional Headline:** omschrijf je huidige functie. Als je gevonden wil worden door anderen op LinkedIn en op het web, gebruik dan woorden die mensen gebruiken als ze zoeken naar mensen met een functie als de jouwe. Als de titel op je visitekaartje Marcom Director is, maar de mensen zoeken naar Vice President Marketing of Communication Manager, dan zijn de kansen klein dat je zult worden gevonden.

      De headline is heel belangrijk, want het is het eerste wat mensen zien als ze een search uitvoeren en het is wat wordt getoond als je een vraag beantwoordt in Answers of in een Discussion. In veel gevallen zal het de Headline zijn die mensen ertoe aanzet om al dan niet op je naam te klikken om je Profile te lezen.
    - **Location:** hoewel je je postcode moet invullen, wordt deze niet getoond aan anderen op LinkedIn. Om privacy redenen werkt LinkedIn met geografische gebieden, in plaats van met exacte adressen.
    - **Primary industry of expertise**: vul dit in om collega's te kunnen vinden in andere organisaties in je sector en om door hen te kunnen worden gevonden. Als jouw sector ontbreekt in de door LinkedIn beschikbaar gestelde lijst, dan kan je er één suggereren.
2. **Your Profile Photo**: gebruik een professionele foto. In het bijzonder studenten hebben de neiging om in hun LinkedIn Profile vakantiefoto's op te nemen, zoals je dat bijvoorbeeld zou doen op Facebook. Maar omdat LinkedIn een professionele website is, is het beter om een 'normale' foto te plaatsen. En omdat er niet veel ruimte is voor je foto, is alleen je gezicht genoeg. Hoewel het niet verplicht is om een foto te uploaden, maakt dit het voor anderen wel veel gemakkelijker om zich je te herinneren. Voor mensen die jou nog nooit hebben ontmoet, kan een foto hen het vertrouwen geven dat je het netwerken op LinkedIn serieus neemt. Ik raad je dus aan een foto te uploaden en deze zichtbaar te maken voor iedereen die je profiel bezoekt.
3. **Your Status**: vertel andere mensen wat je aan het doen bent. Dit is vergelijkbaar met Twitter of 'What are you doing?' op Facebook of andere websites. Je hebt 100 tekens voor de tekst. Dit wordt ook wel microblogging genoemd.

Als je hier iets invult of verandert, krijgen andere leden van LinkedIn hier een melding van, afhankelijk van de instellingen in je eigen 'Profile and Update settings' in het deel 'Privacy Settings' van de 'Account & Settings' pagina. Het is ook afhankelijk van het feit of de mensen die je deze updates wilt laten zien dit zelf hebben toegelaten bij 'Changes to your connections' status' in het deel 'Network Updates' van de 'Account & Settings' pagina.

4. **Public Profile**:

   - **Your Public Profile URL**: personaliseer je LinkedIn Profile pagina door je naam te gebruiken in de URL. Dit zal je online aanwezigheid op het web een flinke impuls geven: als iemand je naam zoekt in Google, Yahoo, MSN Live Search of andere zoekmachines, zal jouw LinkedIn pagina bovenaan komen te staan. URL's zijn uniek, wees er dus snel bij en maak een LinkedIn URL met je eigen naam.
   - Je kunt hier ook kiezen welke gegevens van je Profile zichtbaar zijn voor mensen die niet zijn ingelogd op LinkedIn. Dit betekent: als iemand je op het web zoekt met je naam en dan je LinkedIn pagina vindt, welke gegevens mag hij of zij dan wel en niet zien?

5. **Summary**:

   - **Professional Experience and Goals**: vrij tekstveld. Schrijf je hier meer dan twee regels tekst, zorg er dan voor dat het er visueel prettig uitziet en gemakkelijk leesbaar is. Gebruik bijvoorbeeld bullets of streepjes. Schrijf hier ook niet teveel tekst, want mensen zullen dat niet lezen. Focus op de door jouw behaalde resultaten, niet op het werk dat je hebt gedaan. Dat is veel aantrekkelijker voor de lezer.
     Dit is ook een goede plek om te melden wat je mensen te bieden hebt zonder daar iets voor terug te verwachten. In mijn Profile schrijf ik bijvoorbeeld dat de bezoeker van mijn Profile zich op de website van Networking Coach (www.networking-coach.com) gratis kan abonneren op een e-cursus over networking.
     Als je het over jezelf hebt, gebruik dan 'Ik' en niet 'Hij' of 'Zij'. Van dat laatste hebben mensen een afkeer. Als je met iemand een gesprek voert, dan praat je ook niet over jezelf in de hij- of zij-vorm. Zie je Profile als een 'virtuele jij' die namens jou antwoord geeft op de vragen 'Wat doe je? Wat is je expertise? Wat heb je te bieden?' als iemand deze pagina bezoekt.
   - **Specialties in Your Industries of Expertise**: dit is de plek om de vaardigheden en kennis te delen die je in alle jobs die je hebt gedaan, hebt opgebouwd. Dit is de plek om te delen wat je expertise is. Als je een certificering hebt, zoals bijvoorbeeld Microsoft Certified Systems Engineer, dan is dit de plaats om dat

te melden. Gebruik hier tevens afkortingen als die gangbaar zijn. In dit voorbeeld zou dat dan MCSE zijn.

6. **Experience**: hier kan je alle organisaties invullen waarvoor je hebt gewerkt. Zorg ervoor dat je altijd een functietitel invult en de juiste tijdsperiode. Daarmee kunnen andere mensen je vinden en het zal je helpen oud-collega's terug te vinden. Vul alle banen, of tenminste de organisaties waarvoor je gewerkt hebt in, want we gaan deze gebruiken om je netwerk op te bouwen. Het is ook een goed idee om hier voor elke functie één of meer specifieke resultaten toe te voegen als je die niet in de Summary hebt genoemd.
7. **Education**: vul hier alle scholen en opleidingen die je hebt gevolgd in, zodat je je oud-klasgenoten van dezelfde school kunt terugvinden. Als mensen op dezelfde school of universiteit hebben gestudeerd of lid van dezelfde studentenvereniging zijn geweest, creëert dat een unieke band tussen twee mensen, zelfs al is dat langer dan 10 jaar geleden. Afhankelijk van hun ervaringen kan dit een zwakke of sterke band zijn, maar het is iets wat je gemeenschappelijk hebt en online en offline gesprekken veel gemakkelijker maakt. Vul alle scholen, hogescholen en universiteiten in waar je hebt gestudeerd, want we gaan deze gebruiken om je netwerk op te bouwen.
8. **Additional information**:
   - **Websites**: visibiliteitstip: gebruik de optie 'other' en geef dan je eigen omschrijving. Waarom? Omdat dit helpt voor de resultaatslijsten van zoekmachine van je eigen websites. De resultaatslijsten van zoekmachine rangschikkingen zijn mede gebaseerd op links van andere websites (in dit geval LinkedIn), de PageRank van deze websites (in het geval van LinkedIn is die 8, wat heel hoog is) en ook op de woorden die worden gebruikt in de omschrijving. Dus in plaats van de optie 'My Company' heb ik in mijn Profile de optie 'Other' gebruikt. Vervolgens heb ik de naam Networking Coach ingevuld en de URL www.networking-coach.com. Als iemand nu in Google met de zoektermen 'networking coach' zoekt, helpt deze kleine aanpassing in LinkedIn om een hogere rangschikking te krijgen (in feite is dit één van de technieken waarmee we in Google wereldwijd nummer één staan voor de woorden 'networking coach').
   - **Interests**: noem hier enkele persoonlijke interesses. Naast de professionele informatie die al in overvloed in je Profile aanwezig is, helpen persoonlijke interesses en hobby's anderen een beter beeld van jou als gehele persoon te krijgen. In dit kleine stukje tekst worden maar al te vaak gemeenschappelijke interesses ontdekt die online en offline gesprekken veel gemakkelijker maken.

- **Groups and Associations**: noem hier alle clubs en verenigingen op waar je bij hoort. (Verwar dit niet met de Groups op LinkedIn). Hier vul je alle clubs en verenigingen in waarvan je lid bent buiten LinkedIn om. Natuurlijk hebben sommige van deze organisaties ook een online aanwezigheid op LinkedIn, maar de LinkedIn Groups waartoe je behoort worden automatisch aan je profiel toegevoegd.
- **Honors and awards**: als je erkenningen en prijzen hebt ontvangen die relevant zijn voor je Profile, noem die dan hier. Als ze ertoe bijdragen dat andere mensen een beter beeld van je krijgen van wie je bent als persoon of van de expertise die je hebt, noem ze dan op. In andere gevallen is het beter om ze niet te melden, omdat ze mensen zouden kunnen verwarren.

9. **Contact settings**: dit is een link naar dit item op de Account & Settings pagina.
10. **Applications**: je kunt ervoor kiezen om enkele Applications aan je Profile toe te voegen, bijvoorbeeld je blog of een Slideshare presentatie.

Eén algemene tip voor alle velden: als je wilt worden gevonden op LinkedIn, gebruik dan de woorden die mensen zullen gebruiken als ze op zoek zijn naar jouw expertise of naar dingen die jullie gemeenschappelijk zouden kunnen hebben. Gebruik synoniemen (bijvoorbeeld Marketing Manager in je titel en Marketing Director in de omschrijving) en zowel afkortingen als namen die voluit zijn geschreven (bijvoorbeeld UA en Universiteit Antwerpen).

Als je niet zeker weet wat je precies moet opschrijven: LinkedIn biedt voorbeelden voor de meeste delen van het Profile. Het is ook een goed idee om naar het Profile van anderen te kijken. Gebruik de Profiles die je het beste bevallen als model voor je eigen Profile. Het is altijd een goed idee om iemand anders om zijn of haar mening over je Profile te vragen. Sommige dingen zijn zo vanzelfsprekend voor ons, dat we vergeten ze te noemen of ze niet als vaardigheden of sterke punten waarnemen. Andere mensen kunnen je helpen er met een objectievere blik naar te kijken.

Een extra tip is om de Google Keyword tool te gebruiken om meer synoniemen en suggesties voor andere woorden te vinden. Deze tool wordt vooral gebruikt voor Google Ads, maar je kunt hem ook gebruiken om de juiste keywords voor je Profile te vinden. Deze gratis tool kan je vinden op: https://adwords.google.com/select/KeywordToolExternal (of doe een search naar 'Google Keyword Tool'). Eén opmerking: overdrijf het niet. Prop je Profile niet vol met keywords. Mensen moeten het nog steeds kunnen lezen.

Hoe je je netwerk opbouwt ... snel

In mijn netwerkboek 'Let's Connect!' heb ik geschreven over de 6 graden van nabijheid (beter bekend als de 'theory of 6 degrees of separation'): we leven inderdaad in een kleine wereld. LinkedIn helpt ons deze connecties te ontdekken, door ons ALLE wederzijdse contacten te laten zien, en is daardoor een superkrachtig hulpmiddel.

Het enige nadeel is dat LinkedIn het netwerk maar tot in de derde graad laat zien. De vierde en verdere graden zijn niet meer zichtbaar in je LinkedIn netwerk.

Om echt te profiteren van de gigantische kracht van LinkedIn is het nodig om ons eigen eerstegraads netwerk te bouwen. De echte kracht van een netwerk ligt in de tweede graad, maar om de tweede (en derde) graden te kunnen bereiken, hebben we eerst de eerstegraads contacten nodig.

Laten we dus eens gaan kijken naar een strategie voor het opbouwen van een netwerk op LinkedIn. En meer nog, voor het snel opbouwen ervan.

Fase 1: Leg het fundament van je netwerk

1. **Upload je contacten van Outlook, webmail zoals Hotmail, Gmail, Yahoo en AOL en alle andere e-mailadresboeken.** Dit kan je doen via de groene knop 'Add Connections' in het linker navigatiemenu dat je op alle pagina's ziet. Vervolgens klik je op het tabblad 'Import Contacts'.
   Als je deze contacten importeert, zijn die alleen zichtbaar voor jou. Er wordt door LinkedIn geen enkele email gestuurd.

   Opmerking: dit is wat je moet doen als je een processing error krijgt bij het gebruik van Internet Explorer 7 op Windows Vista (uit de LinkedIn Help Pages):

   Beveiligingsinstellingen op Internet Explorer 7 op Windows Vista kunnen er de oorzaak van zijn dat je de volgende foutmelding krijgt: 'There was an error processing your request'. Om je contacten te uploaden moet je de volgende Beveiligingsinstellingen aanpassen.

   - *Open Internet Explorer 7.*
   - *Ga naar 'Tools' en kies 'Internet Opties'.*
   - *Selecteer tabblad 'Beveiliging'.*
   - *Selecteer de zone 'Internet'.*
   - *Zet het vinkje in het vakje 'Maak Beschermde Modus mogelijk' uit.*
   - *Klik op 'Toepassen', dan op 'OK' totdat je het dialoogvenster verlaat.*

- *Herstart IE 7 - De statusbalk aan de onderkant zou nu moeten weergeven 'Internet | Beschermde Modus: Uit'.*
- *Probeer opnieuw je contacten naar LinkedIn te uploaden.*

2. **Bekijk alle contacten die nu beschikbaar zijn in 'Imported Contacts'** (onder 'Contacts' in het linker navigatiemenu op elke pagina). De mensen die al lid zijn van LinkedIn hebben een blauw pictogram naast hun naam, met het woordje 'In'. Omdat zij LinkedIn al gebruiken, zullen zij het meest openstaan voor een connectie met jou.

   Selecteer de mensen die al op LinkedIn zijn en die je kent (met sommige mensen heb je alleen maar 10 jaar geleden visitekaartjes uitgewisseld, wat de kans verkleint dat zij jou nog kennen of jij hen). Als je heel veel mensen in je adresboek hebt, dan kost het enige tijd om door alle adressen te gaan, die verscheidene pagina's kunnen beslaan. Als dat bij jou het geval is, dan kan je deze groep in meerdere kleine groepen opdelen.

   De mensen die je hebt geselecteerd verschijnen aan de rechterkant van de pagina.

3. **Schrijf hen een semi-persoonlijk bericht**. Vink eerst 'Add a personal note to your invitation' aan. Vervang vervolgens 'Hi, I'd like to add you to my network' door een semi-persoonlijk bericht. Je kunt het niet te persoonlijk maken als je deze methode gebruikt, want je hebt meerdere mensen geselecteerd. Om je een idee te geven hoe dit eruit zou kunnen zien, is hier een voorbeeld van een bericht dat ik onlangs heb gebruikt voor mijn Engelstalige contacten:

> *I see you are a member of LinkedIn as well.*
>
> *Let's Connect! :-)*
>
> *By the way did you know that the "Group" functionality has improved a lot with the "Discussions"?*
>
> *In the meanwhile there are already many Groups in different sectors and professions.*
>
> *It's definitely worth your while to find out which Groups are interesting for you.*
>
> *Have a great networking day!*
>
> *Jan*

Enkele opmerkingen:

- **Er staat geen naam aan het begin van het bericht**. Dit komt doordat LinkedIn automatisch de voornaam van de persoon aan het bericht toevoegt. Omdat er geen preview is, is dit iets wat maar weinig mensen weten!
- Je ziet dat mijn **bericht op zichzelf niet persoonlijk is, maar door er een tip aan toe te voegen is het minder een standaardbericht geworden.** Ik kreeg veel positieve reacties na het sturen van Invitations met dit bericht. Veel mensen vertelden me dat ze nog nooit echt naar de Groups functionaliteit hadden gekeken. Zo'n tip hoeft niet per se met LinkedIn te maken te hebben. Als je een connectie wilt maken met mensen met dezelfde functie, zou je bijvoorbeeld een trend kunnen delen of een link geven naar een interessant artikel. Het hoeft niet veel te zijn, maar het moet waardevol zijn voor de ontvanger (meer tips over wat je mensen kunt geven kan je vinden in mijn boek "Let's Connect!"). Voeg altijd iets extra's toe aan de uitnodigingen die je mensen stuurt. Vergeet niet dat dit een extra contact moment met iemand is. Hoe beter je dit doet, hoe sneller je resultaten zult krijgen. Mensen die de uitnodiging met de tip hebben ontvangen, herinneren zich je misschien en nemen misschien contact met je op om te kijken of jullie op de één of andere manier zouden kunnen samenwerken.
- Als je een groot adresboek hebt, dan is het beter om dat in meerdere groepen op te splitsen. Maar je wilt ook niet **keer op keer je bericht opnieuw typen.** Je kunt natuurlijk Notepad of Word gebruiken om de tekst op te slaan en deze kopiëren en plakken. Er is echter ook een andere tool die je kan helpen met repeterende taken zoals deze. Deze tool heet 'Texter'. Lees meer over deze tool in het hoofdstuk 'Gratis tools die je tijd besparen als je met LinkedIn werkt.'

Na deze 3 stappen zullen mensen op je uitnodiging reageren. Ze zullen de uitnodiging accepteren en je netwerk zal beginnen te groeien.

Fase 2: een tweede laag voor je netwerk.

Terwijl je wacht op de mensen die je uitnodigingen accepteren die je in fase 1 hebt verstuurd, kan je nog meer mensen aan je netwerk toevoegen. Nogmaals, we richten ons allereerst op de mensen die al op LinkedIn zitten, omdat zij meer zullen openstaan om onze uitnodiging te accepteren.

We zullen hiervoor gebruik maken van de tools die LinkedIn ons ter beschikking stelt voor het terugvinden van collega's en klasgenoten. Omdat LinkedIn met de informatie in je Profile werkt, is het belangrijk dat je daar alle bedrijven waarvoor je hebt gewerkt hebt ingevuld, en alle scholen en universiteiten waar je hebt gestudeerd.

Laten we beginnen met de huidige en de oud-collega's.

1. **Zoek naar huidige en oud-collega's.** Je kunt dit doen via de groene knop 'Add Connections' in het linker navigatiemenu op elke pagina, en vervolgens klik je op het tabblad 'Colleagues'.
   Je zult alle bedrijven zien die je in je eigen Profile hebt ingevuld. Je zult ook van elk bedrijf alle mensen zien die al op LinkedIn zitten.
2. **Klik op het bedrijf** waarvoor je werkt of voor hebt gewerkt. Je zult een lijst krijgt van mensen die je mogelijk kent. Selecteer alleen de mensen die je echt kent.
3. Schijf hen een **persoonlijk bericht** als je ze één voor één gaat uitnodigen of schrijf een **semi-persoonlijk bericht** zoals in stap 3 van fase 1 als je ze per groep uitnodigt.
4. Herhaal de stappen 2 en 3 voor alle bedrijven.

Op deze manier groeit je netwerk met huidige en oud-collega's.

Nu gaan we hetzelfde doen voor de mensen waarmee je hebt gestudeerd (of nog mee studeert). Hoewel je met hen op het moment misschien minder contact hebt en minder gemeenschappelijke interesses op professioneel of persoonlijk niveau deelt, zijn oud-klasgenoten zeer waardevol voor je netwerk. Denk aan het fundamentele principe van de zwakke verbindingen en het belang van een gevarieerd netwerk.

1. **Zoek naar klasgenoten.** Je kunt dit doen via de groene knop 'Add Connections' in het linker navigatiemenu op elke pagina, en vervolgens klik je op het tabblad 'Classmates'.
   Je zult alle opleidingen zien die je in je eigen Profile hebt ingevuld. Je zult ook van elke opleiding alle mensen zien die al op LinkedIn zitten.
2. **Klik op een opleiding**. Je zult een lijst krijgt van mensen die je mogelijk kent. Selecteer de mensen die je echt kent. Je kunt maar één klasgenoot tegelijkertijd selecteren.
3. Schrijf iedereen een **persoonlijk bericht**.
4. Herhaal de stappen 2 en 3 voor alle klasgenoten van dezelfde opleiding.
5. Herhaal de stappen 2, 3 en 4 voor alle opleidingen waar je hebt gestudeerd.

Op deze manier groeit je netwerk met huidige en oud-klasgenoten.

Fase 3: de derde laag van je netwerk

De volgende stap die je kunt zetten is het uitnodigen van mensen die je kent, maar die niet op LinkedIn zitten. Hier is het heel belangrijk om het standaardbericht te vermijden. Waarom? Omdat deze mensen misschien nog nooit hebben gehoord van LinkedIn. Als ze een email van de LinkedIn mail server krijgen met een onpersoonlijk bericht van jou, denken ze misschien dat het spam is en wissen ze het bericht. En dat is niet wat je wilt dat ze doen!

Hoe moeten we dit dan wel doen?

We gaan weer gebruik maken van de tools die LinkedIn biedt.

Omdat je in fase 1 al je Outlook of webmail adresboek hebt geïmporteerd, gaan we daar beginnen.

1. Ga in het linker navigatiemenu naar '**Imported Contacts**' (onder 'Contacts').
2. **Selecteer de mensen** die je wilt uitnodigen.
3. Schijf hen een **persoonlijk bericht** als je ze één voor één gaat uitnodigen of schrijf een **semi-persoonlijk bericht** als je ze allemaal per groep uitnodigt.
   Vink eerst 'Add a personal note to your invitation' aan. Vervolgens vervang je het standaard 'Hi, I'd like to add you to my network' bericht door een persoonlijk of semi-persoonlijk bericht. Dit is een voorbeeld:

   Heb je al gehoord van de LinkedIn website?
   Ik ben nu sinds een week gebruiker daarvan en heb al snel weer contact gekregen met mensen uit mijn professionele netwerk, maar ook met heel wat oud-klasgenoten. Eén van de voordelen van LinkedIn is dat het je helpt in contact te blijven met je netwerk, zelfs als iemand van baan verandert of naar een ander land verhuist.

   Ik zou je willen uitnodigen om ook lid te worden. Het is gratis, dus dat is al één obstakel minder ☺

   Of je nu lid wordt of niet, stuur me even een mailtje om me te laten weten hoe het met je gaat.

   Jan

   Dit bericht kan je natuurlijk aanpassen aan de achtergrond van de mensen aan wie je het stuurt. Je kunt bijvoorbeeld een groep oud-collega's van bedrijf ABC selecteren en naar specifieke mensen of dingen uit dat bedrijf verwijzen. Het is ook een goed idee om het bericht te veranderen als je leveranciers of klanten uitnodigt.

   Omdat de meeste standaard uitnodigingen (en ook het bovenstaande voorbeeld, hoewel in iets mindere mate) toch min of meer als een verkooppraatje klinken, zou je ook nog kunnen voorstellen om te helpen bij het schrijven van hun Profile of iemand telefonisch door het proces van inschrijving en het maken van een Profile te leiden.

Een alternatief voor het gebruiken van geïmporteerde contacten is het handmatig uitnodigen van mensen. Hiervoor moet je de volgende stappen volgen:

1. Klik op de groene knop 'Add Connections'. Je komt automatisch terecht op de **'Invite Contacts'** pagina.
2. **Vul de voornaam, de achternaam en het e-mailadres in** van de mensen die je wilt uitnodigen. Je kunt maximaal 6 mensen per keer uitnodigen.
3. Zie stap 3 bovenstaand.

Een derde manier om mensen uit te nodigen is vanuit Outlook.

LinkedIn biedt een toolbar voor Outlook die je gratis van de LinkedIn website kunt downloaden (kijk onderaan elke pagina van de LinkedIn website bij 'Tools'). Als je deze toolbar hebt geïnstalleerd, wordt er in elke email een klein pictogram met 'Info' getoond. Als je rechtsklikt op dit pictogram kan je deze persoon uitnodigen als hij of zij nog niet in je netwerk zit. Interessant is hierbij dat de toolbar een aantal verschillende sjablonen voor de uitnodigingstekst heeft, terwijl de website maar één uitnodigingstekst heeft. Meer over deze toolbar vind je in het hoofdstuk "Gratis tools die je tijd besparen als je met LinkedIn werkt".

Fase 4: laat je netwerk passief groeien

In de eerste drie fases heb je actie ondernomen om andere mensen uit te nodigen door middel van het zenden van een uitnodigingsbericht. In fase 4 ga je enkele tools opzetten die op passieve wijze mensen uitnodigen, dat wil zeggen, je hoeft ze maar eenmaal in te stellen en er daarna geen tijd meer aan te besteden.

1. Vermeld je LinkedIn Profile in je email handtekening. Hoe?
    - Ga op LinkedIn naar de onderkant van een willekeurige pagina. Klik onder 'Tools' op 'Overview'.
    - In het midden van de pagina zie je 'Email signature'. Klik op de knop 'Try it now'.
    - Maak je eigen LinkedIn email handtekening.
2. Vermeld je LinkedIn Profile op je website of je blog.
    - Klik op 'Profile' in het linker navigatiemenu
    - Klik rechts bovenaan op 'Edit Public Profile Settings'
    - Klik op 'Promote your Profile with customized buttons' (ongeveer de 4de regel, pas op deze link zit goed verborgen!)
    - Kies de knop en de code die je wilt gebruiken op je website of blog.

Als je deze email handtekeningen en LinkedIn knoppen gaat gebruiken, dan zullen sommige mensen daar op klikken en je een uitnodiging voor een Connection sturen. Op deze manier zijn ZIJ het die actie ondernemen, en niet jij. Daarom noem ik fase 4 een passieve fase.

Door de stappen van eerste drie fases uit te voeren, leg je de fundamenten van je netwerk. In de loop van de tijd zal fase 4 je ook nog meer Connections opleveren.

Eén van de meest gemaakte fouten die ik zie bij mensen die netwerken, is dat ze daar pas mee beginnen als ze het nodig hebben, bijvoorbeeld als ze op zoek zijn naar een nieuwe baan of naar nieuwe klanten. Het gevaar daarvan is dat het tijd kost om je netwerk op te bouwen, terwijl je in zulke situaties nou net géén tijd daarvoor hebt. Een nog groter gevaar schuilt in het feit dat je contact gaat opnemen met mensen vanuit een behoefte. En dan is het moeilijk om te netwerken zonder daar onmiddellijk iets voor terug te verwachten. Mensen voelen dat. Het gevolg daarvan zal zijn dat veel mensen geen zin hebben om met je te connecteren of Introductions voor je te doen.

Voorkom dus een dergelijke situatie en begin nu meteen je netwerk op te bouwen!

In een volgend hoofdstuk krijg je geavanceerde strategieën voor het nog verder uitbreiden van je netwerk. Begin nu al met de fundamenten van je netwerk.

Wat je ook zult ervaren, is dat je netwerk zich automatisch zal uitbreiden. Andere LinkedIn gebruikers zullen je vinden en je uitnodigen met hen te connecteren. Mensen uit je netwerk zullen ook LinkedIn ontdekken, lid worden en je dan uitnodigen om te connecteren. Een ander interessant feit is dat hoe groter je netwerk wordt, hoe meer mensen geïnteresseerd zullen zijn om met jou te connecteren. Zelfs mensen die je niet kent. Hoe daarmee om te gaan, komt aan bod in het hoofdstuk ‘Antwoorden op brandende vragen en verhitte discussie-onderwerpen.”

De meerwaarde van Groups

Zoals ik al schreef in de introductie van dit boek was de uiteindelijke aanleiding om dit boek te schrijven het feit dat in de laatste maanden de functionaliteit van Groups verbeterd is.

Waarom is dat?

Voordat de Discussions-functionaliteit aan Groups werd toegevoegd, was LinkedIn voornamelijk een soort telefoonboek van professionals, samen met hun onderlinge verbindingen. De Answers-functionaliteit had al tot meer interactie op de website geleid, maar sinds de introductie van de Discussions begint LinkedIn te veranderen in een echte community waarin mensen elkaar kunnen helpen en hulp van elkaar ontvangen.

Het bouwen van relaties ligt in de interacties tussen de leden, en niet in het feit dat hun Profiles met elkaar zijn verbonden. Met Discussions en het delen van News is dit niet alleen stukken gemakkelijker geworden, maar het biedt ook de mogelijkheid om gebruik te maken van de kracht van Groups: twee weten meer dan één, drie meer dan twee, enzovoorts.

Word lid

Interacties in Groups zijn ook veel intuïtiever dan in Answers. In het echte leven zijn mensen ook gewend om samen te komen in clubs en verenigingen. Het delen van ideeën is één van de eerste dingen waarvoor het internet werd gebruikt.

Ik moedig je dus aan om lid te worden van één of meerdere Groups of om er zelf één te beginnen. Ben je eenmaal lid, dan zijn de voordelen daarvan:

- Door vragen te stellen in een Discussions-forum kan je **hulp krijgen van andere leden**.
- **Je kunt de Profiles van de andere leden zien**. Hiermee heb je directe toegang tot extra mensen die niet in je eerstegraads, tweedegraads en derdegraads netwerk zitten.
- **Je kunt met andere leden direct contact opnemen**. Veel mensen staan het niet toe dat iemand direct contact met hen kan opnemen (ze zetten die optie uit in hun 'Account & Settings'). De standaard optie in alle Groups is echter dat de leden direct contact met elkaar kunnen opnemen. Bijna niemand weet dat deze optie ook kan worden uitgezet.
- **Door vragen te beantwoorden in het Discussions-forum win je niet alleen aan zichtbaarheid, maar heb je ook de kans om je expertise te tonen.** Hierdoor verhoogt je 'Know, Like and Trust' factor. Opgelet: als je vragen beantwoordt, wees er dan zeker van dat je goede antwoorden geeft en er geen verkooppraatje van maakt.
- **Door artikelen te delen in News vergroot je ook je zichtbaarheid**. Nogmaals, maak er geen verkooppraatje van. Het is okay om links naar je eigen website, blog of artikelen te delen die over jou gaan, zolang dit maar bijdraagt aan de inzichten van mensen of hen op de één of andere manier helpt.
- **Als je in Discussions een vraag beantwoordt, kan je de URL van je website onderaan je post of comment toevoegen**. Dit geeft je website meer zichtbaarheid en helpt je PageRank in Google en andere zoekmachines te verhogen. Overdrijf het echter niet. Eén, maximaal twee regels.

- **Enkele extra voordelen van het lidmaatschap van een Group die ook meetings organiseert waar de leden elkaar persoonlijk kunnen leren kennen:**
    - Je kunt vragen wie er allemaal naartoe gaat, en dus besluiten of het interessant genoeg voor je is. Je kunt ook al van te voren met mensen afspreken om elkaar daar te ontmoeten. Dit helpt enorm als je je in nieuwe omgevingen nooit comfortabel voelt.
    - Als je op een bepaald soort bijeenkomst nog nooit bent geweest, kan je andere leden naar hun ervaringen vragen en naar wat je ervan kunt verwachten.
    - Je kunt met elkaar afspreken om te carpoolen, zodat je niet alleen geld bespaart en milieuvriendelijk bezig bent, maar ook je netwerktijd maximaliseert.
    - Tips over hoe je je kunt voorbereiden op netwerk evenementen, wat je moet doen als je er bent en hoe je de opvolging moet doen, kan je vinden op de netwerk CD 'Let's Connect op een evenement'.

Ik raad je ten zeerste aan om lid te worden van één of meer Groups. Ik raad je ook aan om een actief lid te worden: mensen helpen en inzichten delen. Hierdoor word je aantrekkelijker voor andere mensen. Ze zullen contact met je opnemen en je op jouw expertisegebied om raad vragen, wat dat ook moge zijn.

De grootste vraag blijft voor veel mensen: van welke Group(s) moet ik lid worden? In het volgende hoofdstuk "Geavanceerde Strategieën" zal ik hier dieper op ingaan omdat dit voornamelijk afhankelijk is van je profiel en je doel.

Ik kan nu alvast de volgende tips geven, omdat deze op iedereen van toepassing zijn:

- Alumnigroepen van opleidingen (voormalige studenten)
- Alumnigroepen van bedrijven (voormalige medewerkers en vaak ook huidige medewerkers)
- Groepen van de organisatie(s) waar je voor werkt
- Groepen van de organisatie(s) waar je in het echte leven toe behoort

Hoe vind je een Group op LinkedIn?

1. Klik in het linker navigatiemenu op 'Groups'
2. Klik dan op het tabblad 'Groups Directory' (bovenaan de nieuwe pagina) of klik aan de rechterkant op de knop 'Find a Group'.
3. Gebruik vervolgens het zoekveld op de nieuwe pagina. Je kunt je zoekopdracht verfijnen met het type Group dat je zoekt of met de taal die er wordt gesproken.

Sommige mensen bladeren liever dan dat ze zoeken. LinkedIn biedt die functionaliteit niet. Een alternatief hiervoor is de lijst die Jacco Valkenburg, de auteur van 'Recruitment via LinkedIn', aanbiedt op zijn website http://www.recruitmentvialinkedin.com

Opmerking: als je je aansluit bij Groups, denk er dan aan dat je van maximaal 50 Groups lid kunt worden.

Word een Group Manager

En waarom niet je eigen Group creëren? Als Group Manager heb je een speciale status, wat je zichtbaarheid vergroot. Doe dit echter alleen als je ook genoeg tijd hebt om een Group te beheren.

Dit betekent dat je mensen uitnodigt voor de Group, Join Requests accepteert en, het belangrijkste, het gesprek gaande houdt. Je moet Questions posten en Questions beantwoorden. Dit schrikt je misschien af, maar er is goed nieuws: je hoeft dit niet alleen te doen. Tot aan 10 mensen kunnen Manager van een Group zijn.

Zie het hoofdstuk 'Geavanceerde Strategieën voor Organisatoren en Group Managers' voor meer tips.

Relaties onderhouden

LinkedIn is niet alleen een geweldige tool om mensen te vinden, maar ook om relaties te onderhouden. Hier volgen enkele acties die je zou kunnen ondernemen op LinkedIn (naast de vele andere dingen die je kunt doen via email, telefoon of bij persoonlijke ontmoetingen):

- Introduceer twee van je LinkedIn contacten bij elkaar. Verreweg de beste netwerkactie die je maar kunt doen. Het kost niets en vraagt maar een klein beetje van je tijd. Voor je beide contacten kunnen de resultaten gigantisch zijn.
- Schrijf een Recommendation voor je contacten.
- Suggereer in Answers één van je contacten als een expert.
- Verwijs in een Discussion in één van je LinkedIn Groups naar één van je contacten als een expert.
- Suggereer interessante LinkedIn Groups aan je contacten.
- Meld aan je contacten als er in Answers of in een Discussion een vraag op het gebied van hun expertise is.
- Meld aan je contacten als er op LinkedIn of elders voor hen interessante evenementen worden gepost. Door dit te melden in een Discussion in een Group kan je meerdere mensen tegelijkertijd op de hoogte brengen en je eigen zichtbaarheid vergroten.

- Als je in de Updates ziet dat iemand is gepromoveerd of van baan is veranderd, dan is dat een goede aanleiding om hem of haar te feliciteren.

Merk op: een mogelijkheid die op de tijd dat ik dit schrijf nog in de betafase is, zijn de Notes in de Profiles van je eerstegraads Connections. Als je iemands Profile bekijkt en naar beneden scrollt, dan zie je aan de rechterkant een veld met de titel 'Your private info about *name*'. Je kunt hier wat opmerkingen schrijven, of daaronder klikken op 'Add/view contact details' om nog meer gegevens toe te voegen. Met andere woorden, LinkedIn heeft hier wat CRM (Contact Relationship Management) functionaliteit toegevoegd.

Ik heb niet de neiging om alle contactgegevens en extra informatie die ik over iemand heb naar LinkedIn te verplaatsen en geheel te vertrouwen op LinkedIn als mijn contactsysteem. Waarom? Omdat je contacten hun Profiles kunnen wissen of de connectie met jou kunnen verbreken. En dan verlies je al je informatie.

Je zichtbaarheid en credibiliteit vergroten met Answers

Ik heb zojuist uitgelegd dat de waarde van de Groups functionaliteit ligt in de interacties tussen mensen. Voordat de Discussions functie door LinkedIn werd geïntroduceerd, was er al een andere tool die interactie stimuleerde: de Answers.

Eigenlijk is het concept heel eenvoudig. Een aantal mensen stellen vragen en anderen beantwoorden ze.

Nogmaals, ook hiermee kan je aan de ene kant hulp van je netwerk ontvangen en aan de andere kant je zichtbaarheid en credibiliteit vergroten.

Enkel door vragen te beantwoorden zal je al op de radar van mensen terechtkomen.

Als je een vraag beantwoordt, dan kan je daar ook de URL van je website aan toevoegen. Dit verhoogt de zichtbaarheid van je website en helpt je de PageRank in Google en andere zoekmachines te verhogen. Overdrijf het echter niet. Eén, maximaal twee regels.

Als mensen denken dat je echt een expert bent op je expertisegebied, dan zullen ze je Expert Points geven. Deze punten worden gegeven door de persoon die de vraag stelde aan de persoon waarvan hij vindt dat hij of zij het beste antwoord heeft gegeven.

Als je eenmaal enkele Expert Points hebt gekregen, word je ook opgenomen in de Experts Directory, wat je Profile nog meer verhoogt. Hoeveel punten je nodig hebt om op die lijst te komen, is afhankelijk van de categorie. In sommige categorieën zijn er maar een paar vragen en ook maar een paar mensen die die beantwoorden. In zo'n categorie is het gemakkelijker om op de Expert List te komen. Maar omdat er niet zoveel vragen zijn, zal ook je zichtbaarheid als expert beperkter zijn.

Betekent dat dat je de moeite niet hoeft te nemen? Nee. Het gaat hier niet om de Expert Points, maar om het helpen van andere mensen en het delen van goede tips. Door dat te doen zal je worden gezien als een expert.

Echter, omdat de categorieën open zijn voor iedereen en wereldwijd zijn, is dit misschien niet de plek waar je al je tijd en energie in moet stoppen. Het beantwoorden van vragen in de door jou uitgekozen Groups geeft je waarschijnlijk veel sneller zichtbaarheid en credibiliteit. In Groups kan je echter geen Expert Points verdienen (ook in Private Messages kan je geen Expert Points verdienen, alleen in Public Messages).

Het voordeel van Answers, aan de andere kant, is dat alle Answers worden bewaard en zichtbaar zijn voor iedereen, zelfs maanden nadat je een vraag hebt beantwoord. Dat is dus een manier om op passieve wijze je zichtbaarheid en credibiliteit te vergroten. Answers in Groups zijn niet doorzoekbaar en kunnen alleen worden doorbladerd door leden van die specifieke Group.

Merk op: als je zelf een vraag stelt, hetzij in Answers, hetzij in een Group, dan stellen mensen het op prijs om te weten wat je met het antwoord hebt gedaan. Neem dus even de tijd om te reageren.

Conclusie van dit hoofdstuk

In dit hoofdstuk heb je kennis gemaakt met een basis strategie, zodat je nu weet hoe je LinkedIn moet gebruiken en hoe je LinkedIn voor je kunt laten werken.

Na het schrijven van je Profile heb je in 4 fasen je netwerk opgebouwd: importeren vanuit je contacten, huidige en oud-collega's en huidige en oud-klasgenoten opsporen, al je contacten uitnodigen die nog niet op LinkedIn zitten en het maken van een LinkedIn email handtekening of LinkedIn knop of banner.

Daarna heb je geleerd over de meerwaarde van Groups, zowel als Group Member als als Group Manager, over hoe je relaties kunt onderhouden met gebruik van LinkedIn en over hoe je je zichtbaarheid en credibiliteit kunt vergroten met Answers.

Laten we dus nu verder gaan met het volgende hoofdstuk, om nog diepgaander te begrijpen hoe we van de kracht van ons netwerk gebruik kunnen maken en hoe we LinkedIn kunnen gebruiken als hulpmiddel om dat te bereiken. Dit zal de basis vormen voor de geavanceerde strategieën.

Ervaar de kracht van LinkedIn

Enkele van de meest gestelde vragen tijdens onze netwerk- en referral trainingen zijn: 'Van welke groepen, verenigingen en organisaties moet ik lid worden?', 'Waar moet ik beginnen met netwerken?' en 'Hoe kan ik gebruik maken van de kracht van mijn netwerk?'

Bij de meesten van ons groeit het online en offline netwerk min of meer toevallig: we beginnen te werken voor een bepaalde werkgever en leren collega's kennen, klanten, leveranciers en partners. We gaan naar conferenties en ontmoeten andere deelnemers. We bezoeken seminars en trainingen en ontmoeten nieuwe mensen. We worden lid van een organisatie en ontmoeten andere leden.

De meeste van deze ontmoetingen tussen mensen zijn min of meer toevallig en het gevolg van het feit dat men zich op hetzelfde tijdstip in dezelfde situatie bevindt. Op zich is dat belangrijk bij het netwerken, in het bijzonder om nieuwe ideeën en inzichten op te doen.

Aan de andere kant klagen veel mensen over een gebrek aan balans tussen werk en privé. Ze vertellen ons dat ze niet nóg een avond van huis weg kunnen blijven om een receptie, conferentie of ander netwerkevenement te bezoeken. Of ze zeggen dat ze in feite geen tijd hebben om lid te worden van LinkedIn of andere netwerksites. Toch doen ze het, omdat anderen zeggen dat ze dat moeten doen of omdat ze horen dat het anderen heel wat heeft opgebracht. Niettemin hebben ze het gevoel dat het alleen maar tijdverspilling is.

Als ik hen dan vraag: "Als je een netwerkevenement bezoekt of lid wordt van een Group op LinkedIn, hoe staat dat dan in verhouding tot je doelen?", blijft het bijna altijd stil. Waarom? Omdat ze allemaal nog nooit écht over hun doelen hebben nagedacht.

En wat is de sleutel voor succesvol netwerken? Beginnen bij je doelen en dan besluiten bij welke online en offline groepen en verenigingen je je aansluit.

Voor sommige mensen mag zo'n benadering te doelgericht lijken die alle plezier en spontaniteit uit hun interacties met andere mensen doet verdwijnen.

Op het eerste gezicht lijkt dat ook zo te zijn, maar in feite zal je door bij je doelen te beginnen in staat zijn veel spontaner met andere mensen om te gaan. Omdat je weet wie jou zou kunnen helpen, kan je bij alle andere mensen je verwachtingen over de gesprekken die je met ze hebt naar beneden schroeven. Hierdoor ontstaat er veel meer ruimte voor spontane gesprekken.

Dit hoofdstuk is onderverdeeld in drie onderdelen. Eerst gaan we de D.O.E.N. oefening doen, als voorbereiding op het tweede en het derde onderdeel. In het tweede onderdeel zal je kennis maken met die ene super tool die LinkedIn een nog groter hefboomeffect geeft: de Magische E-mail. In het derde deel zal je ervaren waar de echte kracht van LinkedIn in zit.

D.O.E.N. oefening

D.O.E.N. is een afkorting van

Doelen

Opstellen en

Effectief bereiken via je

Netwerk.

Met deze oefening zal je het fundament leggen voor je geavanceerde strategieën op LinkedIn. Deze oefening kost je maar 10 minuten van je tijd en is de enige van dit boek. Als je net zoals ik bent, ben je geneigd deze oefening over te slaan en verder te lezen. Ik raad je echter aan om de oefening wel te doen. Je zal daardoor veel beter begrijpen en ervaren hoe je met LinkedIn de kracht van netwerken naar een hoger niveau kan tillen.

3-stappenproces

De D.O.E.N. methode bestaat uit een oefening in twee of drie stappen:

1. De eerste stap is een doel te stellen.
2. In de tweede stap kijken we wie de mensen zijn die zich in de beste positie bevinden om ons te helpen dit doel te bereiken.
3. De derde (en optionele) stap is aantekeningen te vergelijken en ideeën uit te wisselen met andere mensen die ook de eerste twee stappen hebben uitgevoerd. Hierdoor genereer je nieuwe ideeën, en vaak kunnen deze mensen al enkele connecties voor je maken en jij voor hen.

Laten we eens in detail naar de drie stappen kijken.

Stap 1: een doel stellen

Voordat we beginnen, wil ik mijn eigen ideeën over doelen met je delen. Iemand zei ooit eens: “Een doel is een droom met een deadline.” Dat is al een goede start om over doelen te gaan nadenken en hoe die te bereiken. Ik maak hierbij onderscheid tussen grote doelen en subdoelen.

Laat me je een persoonlijk voorbeeld geven. Een aantal jaren geleden wilde ik een boek schrijven en hiermee nummer 1 worden op Amazon. Dat zijn al twee doelen. Het eerste doel is het schrijven van een boek en het tweede is dat op nummer 1 op Amazon te krijgen.

Veel mensen zullen deze beide doelen een enorme uitdaging vinden, als een berg die te hoog en te steil is om te beklimmen. En als gevolg daarvan beginnen ze er niet aan.

Wat heb ik dus gedaan? Om te beginnen heb ik de beide doelen gescheiden. Vervolgens heb ik subdoelen gemaakt: ik zou het boek niet in één keer schrijven, maar hoofdstuk na hoofdstuk, paragraaf na paragraaf. Als je een project hebt van 10 pagina's is dat veel eenvoudiger dan een project van 250 pagina's. Vervolgens heb ik enkele subdoelen gesteld om het boek gepubliceerd te krijgen: uitzoeken hoe boeken in boekwinkels terecht komen, hoe je een ISBN-nummer moet aanvragen, waar een fotograaf vinden voor mijn foto op de achterflap ... En hetzelfde heb ik gedaan voor het doel om mijn boek op nummer 1 op Amazon te krijgen.

Ik heb dus subdoelen en subsubdoelen gedefinieerd: kleine projecten die niet al te moeilijk zijn om te doen en niet al te veel tijd kosten.

Misschien vraag je je nu af: wat was het resultaat? Heb je het boek geschreven? En is het nummer 1 op Amazon geworden?

Ja, ik heb 'Let's Connect!' geschreven, en nee, het werd niet nummer 1 voor alle boeken op Amazon, maar wel nummer 2 voor marketing-boeken, waarmee ik de eerste Belgische auteur werd die die positie bereikte.

Ben ik teleurgesteld? Nee! Als iemand me voordat ik begon met het schrijven van 'Let's Connect!' had verteld dat mijn boek het nummer 2 marketing-boek op Amazon zou worden, dan had ik hem of haar nooit geloofd.

Wat ik dus met je wil delen is dit: stel doelen en maak ze groot. Er is een gezegde: 'Mik op de maan, als je mist beland je nog altijd tussen de sterren.' Veel mensen hebben dromen en doelen in hun hoofd, maar denken dat ze nooit in staat zullen zijn die te bereiken. Wat gebeurt er vervolgens? Niets. Ze gaan gewoon verder met datgene waar ze al mee bezig waren en er verandert niets. Het bereiken van je doelen begint ermee ze op te schrijven, zelfs als ze onbereikbaar voor je lijken. Ik mikte op de maan (nummer 1 op Amazon) en belandde tussen de sterren (nummer 2 marketing-boek). Als ik me niet het doel had gesteld om nummer 1 te worden van alle boeken, dan was het boek ook nooit nummer 2 van alle marketing-boeken geworden.

Misschien heb je er ook al eens van gehoord dat als je je een doel stelt, dat doel S.M.A.R.T. moet zijn. Ik zou je willen uitnodigen om je doelen S.M.A.R.T.E.R. te maken. S.M.A.R.T.E.R. is een acroniem voor:

- **S**pecifiek
- **M**eetbaar
- **A**ctie gericht
- **R**ealistisch
- **T**ijdsgebonden
- **E**thisch
- **R**egistreerbaar

Laat me dit wat meer in detail uitleggen.

- **S**pecifiek: hoe concreter, hoe beter. Getallen maken doelen specifieker en concreter. Denk ook aan de geografische gebieden en talen die relevant zijn voor je doel.
- **M**eetbaar: cijfers en datums maken doelen meer meetbaar.
- **A**ctie gericht : gebruik een werkwoord. En gebruik een werkwoord waar je 'alles van afweet'. Bijvoorbeeld, een verpleegster weet meestal niet veel af van zaken die verbonden zijn met het werkwoord 'verkopen' en een verkoper meestal niet van de taken van een verpleegster en hoe die uit te voeren.
- **R**ealistisch: maak je doelen uitdagend en haalbaar tegelijkertijd. Daarom hebben sommige doelen subdoelen nodig. Het grote doel lijkt helemaal niet realistisch en haalbaar, maar de subdoelen zijn relatief eenvoudig te realiseren.
- **T**ijdsgebonden : stel een tijdslimiet aan je doel. Ook hier geldt weer dat het gemakkelijker wordt als je een groot doel opdeelt in kleinere subdoelen. Het is gemakkelijker om een tijdsduur in te schatten voor een klein project dan een groot project. Kleinere doelen zijn gemakkelijker en sneller te bereiken. Doordat je kleinere doelen bereikt, zal je ook gemotiveerder raken om door te gaan.
- **E**thisch: het mag anderen niet schaden. Denk dus goed na over je doel en het gevoel dat je er bij hebt, om na te gaan of je doel ethisch is. Pas je doel aan waar nodig.
- **R**egistreerbaar: schrijf je doelen op. De meeste mensen blijven rondlopen met doelen en dromen in hun hoofd. De eerste stap om ze te realiseren is ze op te schrijven.

Ik wil hier nog twee extra elementen aan toevoegen:

- **Het doel moet je inspireren en motiveren.** Voor mij was het me voorstellen dat mijn boek hoog op Amazon terecht zou komen voldoende motiverend om aan mijn doel te blijven werken. Soms zeggen mensen uit het publiek van de presentaties die ik geef: 'Ik wil president van de Verenigde Staten worden'. Als ik dan enkele vragen stel, wordt al snel duidelijk dat het niet serieus gemeend is en, sterker nog, dat het echte beeld van het president zijn met alle verantwoordelijkheid vandien deze mensen helemaal niet inspireert of motiveert.
- **Het moet jouw doel zijn en niet dat van iemand anders.** Dit houdt verband met de vorige opmerking. Als iemand anders jou een doel stelt, dan zal je voor het grootste deel van de tijd niet erg gemotiveerd zijn. Je zult er misschien aan werken, maar nooit de drive hebben om er helemaal voor te gaan en bovendien die extra stappen te zetten (of uren te investeren) die nodig zijn om het doel te

bereiken. Begrijp me echter niet verkeerd, om je doelen te bereiken hoef je geen 20 uur per dag te werken. Wat ik bedoel, is dat als je echt door je eigen doel wordt gemotiveerd, dat helemaal niet als een last aanvoelt. Integendeel, je staat te trappelen om te beginnen. Om die reden ben ik een groot voorstander van het gezamenlijk stellen van doelen door managers en hun teamleden, zodat de teamleden hun eigen doelen kunnen stellen die zijn gebaseerd op de grotere doelen van de organisatie.

Je eerste opdracht is nu om één doel op te schrijven. Dit zou kunnen zijn het vinden van een nieuwe baan, extra klanten aantrekken of meer verkopen bij bestaande klanten, het vinden van partners om mee samen te werken, ... Maak het zo S.M.A.R.T.E.R. als mogelijk. Neem omwille van de oefening een doel dat je in één jaar wilt bereiken. Verdeel je doel waar nodig onder in subdoelen.

Laten we bijvoorbeeld aannemen dat je doel is om in het volgende jaar je verkopen met 10 % te verhogen. Wat betekent dit voor jou in de praktijk? Over hoeveel klanten spreek je dan? En als je meer dan één product verkoopt, hoeveel nieuwe of terugkerende klanten heb je dan nodig voor elk product? In welk land of welke regio wil je die verkopen behalen? Door percentages te vervangen door absolute getallen, wordt het duidelijker of je doel realistisch is of niet.

Schrijf nu één doel op.

____

____

____

____

Kijk nog eens naar dit doel. Is het S.M.A.R.T.E.R.? Kijk vooral goed naar de S van Specifiek. De doelen van de meesten van de duizenden mensen die vóór jou deze oefening in onze trainingen en presentaties hebben gedaan waren niet specifiek genoeg.

Waarom is dat zo belangrijk? Als je doel niet specifiek genoeg is, dan zal het moeilijker voor je zijn om er actie op te ondernemen. De tweede reden is dat het ook voor anderen moeilijker zal zijn om te begrijpen hoe ze je kunnen helpen. En dan kan je geen gebruik maken van de kracht van je netwerk.

Stap 2: De best geplaatste mensen om jou te helpen

Nadat je je doel hebt opgeschreven, is de volgende stap het vaststellen wie de mensen zijn die zich in de beste posities bevinden om je te helpen je doel te bereiken.

Opdracht: vul in onderstaande tabel de eerste 5 regels (nog niet alle 8, we komen zo dadelijk terug op de resterende 3) met de 5 mensen in de beste posities om je te helpen je doel te bereiken.

Nr.	**Persoon**	**Toegevoegde waarde (waarom kies je deze persoon en niet iemand anders)**	**Wat kan jij voor deze persoon doen?**
1			
2			
3			
4			
5			
6			
7			
8			

Nadat je de eerste 5 rijen hebt ingevuld, volgen hier wat tips om deze tabel vanuit een heel ander gezichtspunt te bekijken en daarmee wat nieuwe ideeën op te doen.

1. **Heb je alleen mensen opgeschreven die je al kent**? Of heb je echt de mensen in de beste posities opgeschreven? Als we deze oefening met groepen doen, dan "vertalen" veel mensen deze opdracht in hun hoofd. In plaats van dat ze horen: "Schrijf de mensen op die zich in de beste posities bevinden om je te helpen je doel te bereiken", horen ze "Schrijf de mensen op die JE KENT die zich in de beste posities bevinden om je te helpen je doel te bereiken". En dit is één van de meest beperkende factoren in networking: ze beperken zich tot de mensen die ze kennen. Denk dus nu na over wie **echt de best geplaatste personen zijn om je te helpen je doel te bereiken**, zelfs als je hen nog niet kent. Weet je hun naam niet, schrijf dan een functietitel of omschrijving op.
2. Een andere categorie mensen die je kunnen helpen zijn **mentoren, coaches en mensen die een klankbord voor je kunnen vormen**. Zij kunnen je misschien niet helpen bij het bereiken van het doel zelf, maar ze kunnen een grote hulp zijn op weg naar het doel. Ze kunnen bijvoorbeeld controleren of je doel S.M.A.R.T.E.R. is en je vragen stellen over reeds geboekte resultaten. Je kunt betalen voor een coach, maar ook een collega, familielid, buurman of tante kunnen een goed klankbord vormen.
3. Een derde categorie zijn de mensen die een **groot netwerk hebben en bereid zijn connecties voor je te leggen**. We noemen zulke mensen 'connectors'. Via zulke mensen kan je heel veel mensen bereiken.
4. Een laatste tip voor het verder invullen van de tabel is om de tweede kolom eens goed te bekijken. Wat heb je daar opgeschreven? Welke kennis, connecties, expertise en andere informatie heeft deze persoon die hem of haar een toegevoegde waarde geven voor het bereiken van je doel? Bedenk nu eens wie er nog meer **dezelfde toegevoegde waarde kan brengen.** Dit is een manier van omgekeerd denken waarmee je nieuwe ideeën kunt krijgen: je vertrekt vanuit de toegevoegde waarde en gaat dan nadenken over welke personen deze toegevoegde waarde kunnen brengen.

Opmerking: de meeste mensen vinden het moeilijk om de derde kolom in te vullen. Maar je hoeft niet per se iets voor iemand terug te doen. Mensen helpen graag andere mensen, in het bijzonder als het niets kost en maar weinig tijd vraagt (daarom is het zo belangrijk om je doelen zo S.M.A.R.T.E.R. als mogelijk te maken, zodat mensen direct kunnen besluiten of ze je kunnen en willen helpen of niet).

De reden dat ik deze derde kolom heb toegevoegd, is dat veel mensen niet om hulp willen vragen, omdat ze dan het gevoel hebben dat ze alleen maar nemen van mensen. Ze denken dat de relatie dan niet meer in balans is. Door echter al van tevoren te bedenken wat ze voor iemand zouden kunnen betekenen, vinden ze al enige 'geestelijke rust'. Ze realiseren zich dan dat ze geen 'nemers' zijn. Voor veel mensen zorgt dit er ook voor dat ze meer zelfvertrouwen krijgen om daadwerkelijk contact met iemand op te nemen.

Als je echt niet weet wat je voor iemand zou kunnen doen, maar nog steeds het gevoel hebt dat die persoon belangrijk voor je is, dan is er nog een optie: vraag het hem of haar. Doe dit niet aan het begin van het gesprek, maar aan het einde. Vraag bijvoorbeeld aan welk project hij of zij momenteel werkt en of je eventueel daarbij kunt helpen. Kijk dan of je deze persoon zelf kunt helpen of met wie uit je netwerk die de juiste kennis, ervaring of vaardigheden heeft je hem of haar in contact zou kunnen brengen.

Overigens, op wat voor manier vraag jij om hulp? Bedel niet, maar vraag om advies! Het was Christine Comaford-Lynch met haar boek 'Rules for Renegades' die me een dieper inzicht heeft gegeven in wat voor een verschil het maakt op welke manier je om hulp vraagt. Als je vertelt over je doel en dan om raad vraagt, is het verbazingwekkend hoeveel mensen je willen helpen en je zelfs nog meer informatie en introducties willen geven dan je je ooit had kunnen indenken.

Opdracht: vul de resterende rijen van de tabel in.

Bekijk nu eens goed de tabel. Je ziet niet alleen welke mensen uit je netwerk je kunnen helpen, maar ook wie ze zijn en welke functie ze hebben. Met deze kennis kan je tevens beter besluiten bij welke 'real life' organisaties en Groups op LinkedIn je je wilt aansluiten.

Je zult ook nog enkele 'lege plekken' in je tabel hebben: de mensen die zich in de beste posities bevinden om je te helpen je doel te bereiken, maar die je nog niet kent. En daarvoor gaan we LinkedIn gebruiken.

Stap 3: maak gebruik van de kracht van je netwerk (optioneel)

De derde stap die we in onze trainingen en presentaties doen, is de deelnemers hun doelen en hun tabellen uit de stappen 1 en 2 met één of meerdere mensen te laten delen.

Dit is een heel interessante oefening, die twee kanten op werkt:

1. Degene die zijn of haar doel en tabel uitlegt, krijgt vaak, alleen al door er andere mensen hardop over te vertellen, nieuwe ideeën. Daarnaast krijgt hij of zij van de anderen ook feedback over het doel (is het S.M.A.R.T.E.R. of niet) en de tabel. Vaak hebben de andere deelnemers nieuwe ideeën en andere benaderingen. En in vele gevallen kunnen ze elkaar zelfs met namen en introducties verder helpen!

2. De mensen die luisteren, horen vaak nieuwe ideeën en benaderingen, die ze kunnen toepassen op hun eigen doel en tabel.

Wat we heel vaak zien gebeuren als mensen in één van onze sessies deze oefening hebben gedaan, is dat ze deze op regelmatig basis beginnen te doen. Bijvoorbeeld tijdens een lunch met collega's of tijdens maandelijkse bijeenkomsten met collega-ondernemers.

Opdracht: nodig 3 of 4 mensen uit om samen deze oefening te doen. Dat kan eenmalig zijn, of op regelmatige basis.

Als je besluit om niet stap 3 zoals hierboven aangegeven te doen, dan is het nog steeds een goed idee om je doel en tabel met tenminste één persoon te bespreken en om feedback te vragen.

De Magische E-mail

Door de oefening begrijp je nu nog meer de kracht van een netwerk en hoe dit je kan helpen je doelen te bereiken. Ik hoop dat je ook het voordeel begint te zien dat LinkedIn je biedt bij je netwerkstrategie. De gigantische kracht van LinkedIn ligt in het feit dat het de connecties tussen mensen zichtbaar maakt, plus via welke mensen in je netwerk je de mensen kunt bereiken die zich in de beste posities bevinden om je te helpen.

Voordat we gaan bekijken hoe we LinkedIn moeten gebruiken, wil ik één tool of hulpmiddel met je delen dat voor grote resultaten heeft gezorgd voor mijn bedrijf en voor iedereen die één van onze trainingen of seminars heeft bezocht.

Ik noem deze tool de Magische E-mail.

Waar gaat deze over? In de Magische E-mail word je geïntroduceerd door iemand die je kent bij iemand die je kan helpen je doelen te bereiken. Het is een e-mail van iemand uit je eerstegraads netwerk aan iemand uit je tweedegraads netwerk. Het is een e-mail van iemand die beide partijen kent.

We hebben eerder al gesproken over de "Know, Like and Trust" factor. Hoe meer vertrouwen er is, hoe eerder iemand je zal willen helpen je doel te bereiken, je een baan te geven of klant van je te worden. In zijn boek "The Speed of Trust" geeft Stephen M.R. Covey vele voorbeelden hoe, als mensen elkaar vertrouwen, alles veel sneller gaat. Eén van de boodschappen van dit boek is dat vertrouwen ook van de ene persoon op de andere kan worden overgebracht.

Het goede nieuws is dat LinkedIn het ultieme hulpmiddel is om vertrouwen van de ene persoon op de andere over te brengen, als het op de juiste manier wordt gebruikt. Wat bedoel ik daarmee?

Gebruik LinkedIn niet als een tool om Introductions te krijgen, maar als een research database, en vraag vervolgens om geïntroduceerd te worden via een e-mail, buiten LinkedIn om.

Waarom is dit mijn advies? Als je gebruik maakt van de 'Get introduced' functionaliteit in LinkedIn, dan ben JIJ degene die het initiatief neemt. De persoon die je wilt bereiken krijgt het bericht weliswaar via iemand die hij of zij kent (dus dat is goed), maar jij bent nog steeds degene die het initiatief heeft genomen.

Een handeling die veel meer vertrouwen opwekt, is een e-mail (of telefoontje) van iemand die ze AL KENNEN, mogen en vertrouwen en die jullie bij elkaar introduceert!

Laten we eerst eens kijken naar twee voorbeelden van zo'n Magische E-mail die je zelf kunt versturen. Op die manier zal je het concept erachter begrijpen. Vervolgens zullen we gaan bekijken hoe je mensen uit je netwerk kunt vragen om Magische E-mails voor jou te versturen.

Voorbeeld 1: introduceer een mogelijke leverancier en een mogelijke klant bij elkaar

Dit is een (denkbeeldig) voorbeeld van een introductie e-mail (ofwel de Magische E-mail):

To: eric.rogiers@best-accounant-in-the-world.com

Cc: john.janssen@web-designer-number-one.com

Subject: introductie

Beste Eric,

Ik wil je graag introduceren bij John Janssen (in cc). John is de Managing Director van Web Designer Number One. John zou de man kunnen zijn die je kan helpen met je nieuwe website. Ze maken fantastische websites (op hun website www.web-designer-number-one.com kan je daar vele voorbeelden van vinden, plus referenties). Ik ken John al een tijdje en heb zelfs met hem gewerkt bij het bedrijf ABC. Eén van de dingen die ik me altijd van hem zal blijven herinneren, is zijn capaciteit om oplossingen te bieden die voldoen aan het eisenpakket van de klanten en daarbij toch binnen het budget te blijven. Hij is echt heel klantgericht. Ik herinner me zelfs dat hij in enkele gevallen een andere oplossing aanraadde of zelfs een andere aanbieder, als hij dacht dat dit in het belang van zijn klant was. Ik kan hem en zijn team absoluut aanbevelen!

John,

Eric Rogiers is mijn accountant en tegelijkertijd een persoonlijk vriend. Voor mij is hij zo'n goede accountant omdat hij meer in mensen dan in cijfers is geïnteresseerd. Eric is op zoek naar een nieuwe website. En vanwege onze gezamenlijke ervaringen, dacht ik dat jij de perfecte kandidaat zou kunnen zijn.

Ik stel voor dat jullie elkaar eens ontmoeten om met elkaar te praten.

Misschien kunnen jullie dit combineren met het bekijken van een voetbalwedstrijd? Als ik het goed begrepen heb, zijn jullie namelijk allebei fan van PSV Eindhoven.

Eric, je kunt John bereiken op: (telefoonnummer John)

John, je kunt Eric bereiken op: (telefoonnummer Eric)

Succes!

Jan

Laten we eens naar alle “ingrediënten” van deze Magische E-mail kijken:

Aanspreking

- To: de persoon die de ‘ontvanger’ is van het product, de diensten of de hulp.
- Cc: de persoon die de ‘aanbieder’ is van het product, de diensten of de hulp.
- Subject: ‘introductie’: dit maakt duidelijk waar de e-mail over gaat.

In de velden ‘to’ en ‘cc’ kan je nog meer mensen plaatsen, als dat gepast is. Je kunt ook alle mensen bij ‘to’ zetten, maar op deze manier vind ik het gemakkelijker om later te herkennen wie ik aan wie heb geïntroduceerd. En dat is belangrijk voor je eigen opvolgacties.

De e-mail zelf

- **Als eerste richt ik me tot de ontvanger, vervolgens tot de aanbieder**
- Ik geef altijd de **reden** aan waarom ik beide mensen met elkaar in contact wil brengen.
- Nadat ik me tot de ontvanger heb gericht, adresseer ik altijd ook de aanbieder, zodat deze **iets te weten komt over de ontvanger en in het bijzonder over mijn relatie met de ontvanger**. Op deze manier wordt het voor hem gemakkelijker om een gemeenschappelijke basis te vinden en de relatie op een veel beter niveau te beginnen dan bij een ‘cold call’. In dit voorbeeld ga ik zelfs nog wat verder: ik ga tot het ‘waardenniveau’. Beiden zijn zeer klant- en mensgericht. Dat is een sterke basis om een relatie op te bouwen. In het bijzonder als het een derde is waar ze beiden een goede relatie mee hebben die hen hier op wijst (in dit geval ik dus).
- Hetzelfde geldt voor de ontvanger ten opzichte van de aanbieder.
- Ik schrijf ook op wat ik **apprecieer** aan de persoon, de organisatie en het product of de dienst. Op deze manier onderhoud en versterk ik mijn relatie met beide partijen. Zelfs als er in de toekomst geen interactie tussen hen plaatsvindt, dan was deze e-mail de moeite waard om de relatie met beiden te onderhouden.

- Ik probeer ook te schrijven over **gemeenschappelijke interesses die buiten het professionele niveau liggen.** In dit geval zijn ze allebei gek op voetbal en zijn ze zelfs fans van hetzelfde team. Dat is een directe band. Zo'n band is er tussen de meeste mensen (denk aan de 6 graden van nabijheid), maar we ontdekken hem niet altijd in een gesprek, omdat we het soms niet hebben over de gebieden die we gemeenschappelijk hebben. Als jij als connector de gemeenschappelijke interesse(s) van beide personen kent, geef dat dan mee. Op die manier help je hen een vliegende start te maken.
- **Neem andere referenties op, indien mogelijk.** Hoe beter deze bekend zijn bij de ontvanger, hoe beter de reputatie van de aanbieder zal zijn. In dit voorbeeld heb ik verwezen naar de referenties op de website van Web Designer Number One.

Afronding van de e-mail:

- **Ik stel voor dat ze contact met elkaar opnemen**. Dit betekent:
  - ZIJ worden verondersteld ACTIE te ondernemen, en er zijn geen barrières om dit te doen, omdat ik (de gemeenschappelijke derde partij) hen heb voorgesteld dit te doen.
  - Ik heb als eerste het telefoonnummer van de 'aanbieder' gegeven, omdat ik de 'ontvanger' wil aanmoedigen het contact te leggen. Dit is prettiger voor de 'aanbieder'. Op deze manier probeer ik zoveel mogelijk het gevoel iets te 'verkopen' te verminderen. En ik open de mogelijkheden om een relatie op te bouwen en elkaar te helpen.
  - Ze nemen MET ELKAAR contact op, niet langer met mij. Ik stap uit het proces. Ik heb mijn deel van het werk gedaan: ze met elkaar in verbinding brengen. Het is nu aan hen. Op deze manier gebruik ik mijn tijd verstandig, want ik blijf er niet tussenzitten als doorgeefluik.
- **Telefonische contactgegevens**: zodat ze elkaar snel kunnen bereiken. Als ze per e-mail contact met elkaar willen opnemen, dan hebben ze het adres al in de 'header' van de e-mail. Ik beveel niet aan om de opvolging van een introductie als deze per e-mail te doen. De weg ligt al immers open voor een persoonlijk contact over de telefoon.

Sommige mensen zullen bovenstaand voorbeeld als te opdringerig beschouwen. Maar bedenk goed dat dit een e-mail is aan twee mensen die je al kent en waar je een goede relatie mee hebt. In dit geval heb ik er het volste vertrouwen in dat het samenbrengen van deze mensen voor hen beiden goed zal zijn. Afhankelijk van de relatie die je met hen hebt, kan je de toon en de inhoud van de e-mail aanpassen.

Voorbeeld 2: een algemene introductie e-mail sturen

Als je niet je eigen bedrijf hebt, of freelancer of verkoper bent, dan vraag je je misschien af: hoe kan ik het voorgaande voorbeeld in mijn situatie toepassen?

In feite blijft het hetzelfde. Je kunt altijd mensen met elkaar in verbinding brengen op de manier van bovenstaand voorbeeld. Je netwerk verder helpen is niet alleen goed voor je toekomst, maar ook leuk om te doen en heel bevredigend.

Laat me een voorbeeld geven voor mensen die in dezelfde, grote organisatie werken. Werk je in een kleine organisatie, dan is het gemakkelijker om introducties in een ontmoeting te doen.

Dit is een voorbeeld van het geven van een introductie binnen een grote organisatie:

To: Thomas.Jagers@company-abc.com

Cc: Susan.Peeters@company-abc.com

Subject: introductie

Beste Thomas,

Ik zou je graag willen voorstellen aan Susan Peeters (in cc). Susan is één van de teamleden van het Eureca project. Zoals je weet, werd het Eureca project geconfronteerd met vele uitdagingen op het gebied van veranderingen in wet- en regelgevingen en teamleden die naar andere landen werden overgeplaatst. Maar je kent het gezegde: "Uitdagingen zijn een manier om te groeien". En dat is precies wat er met Susan is gebeurd. Ze had de moeilijke taak om een deel van het project betreffende wet- en regelgeving over te nemen. En dat heeft ze zeer goed gedaan! Ik heb zelf kennis gemaakt met haar expertise toen ik te maken kreeg met de nationale wetten in een aantal Aziatische landen. Susan weet hier heel veel van af en heeft een goed netwerk opgebouwd om haar te ondersteunen. Ik kan je haar ten zeerste aanbevelen voor je volgende project!

Beste Susan,

Thomas Jagers is één van onze internationale projectleiders. Ik weet dat hij in het verleden problemen heeft ondervonden bij het vinden van de juiste mensen met kennis over nationale wet- en regelgevingen. Hij is nu bezig de mensen te verzamelen voor zijn volgende project en ik denk dat jouw expertise van groot voordeel kan zijn voor zijn project. Thomas is een fantastische man om mee samen te werken. Ik heb echt genoten van de manier waarop hij zijn teams leidt: hij ondersteunt zijn teamleden op alle mogelijke manieren en moedigt hen aan verantwoordelijkheid te nemen. Hij is ook heel goed in het delegeren van beslissingsbevoegdheid aan zijn teamleden. Zoals je weet, vind ik dit zelf heel belangrijk. Naar mijn mening is hij één van de beste projectleiders binnen ons bedrijf.

Naast een mogelijke gezamenlijke professionele interesse, zal je met hem tevens veel te bespreken hebben over jullie gedeelde passie voor wintervakanties en in het bijzonder snowboarding.

Ik stel daarom voor dat jullie elkaar eens ontmoeten.

Thomas, je kunt Susan bereiken op: (telefoonnummer Susan)

Susan, je kunt Thomas bereiken op: (telefoonnummer Thomas)

Succes!

Jan

Je ziet dat het niet zo heel moeilijk is om mensen via e-mail bij elkaar te introduceren of aan elkaar door te verwijzen. Maak er een gewoonte van om dit te doen!

Hoe moet je om een Magische E-mail vragen?

Nu je de waarde van zo'n introductie e-mail hebt ontdekt, vraag je je misschien af: 'Hoe vraag ik zelf om een Magische E-mail? Hoe kan ik ervoor zorgen dat andere mensen zulke e-mails voor mij versturen?'

In de 'Everlasting Referrals Home Study Course'© heb ik de 9-stappen 'Everlasting Referrals Question Sequence'© beschreven. Je hoeft echter niet door deze hele serie vragen heen te gaan om een positieve respons te krijgen. Wat deze serie doet, is niet één, maar meerdere connecties en e-mails genereren.

Laat me je een voorbeeld geven van hoe gemakkelijk je iemand om een introductie via een Magische E-mail kunt vragen.

In oktober 2005 was ik één van de sprekers op de 'Young European Entrepreneurs Regatta'. Eén van de deelnemende teams was er één van Mobistar (de op één na grootste mobiele telefoonaanbieder in België en onderdeel van de Orange Groep). Eén van de teamleden was Vincent De Waele. Wij raakten daar met elkaar in gesprek en hij toonde interesse in de principes van netwerken. Ik gaf hem op dat moment dus wat tips, maar na de Regatta hadden we niet echt meer contact met elkaar.

Enkele maanden later ontmoette ik Vincent weer op een Ecademy evenement (dit is een ander online zakelijk netwerk, dat ook interessant voor je kan zijn om lid van te worden omdat zij ook meetings organiseren waar je elkaar ook in levende lijve kan ontmoeten. Zie www.ecademy.com). Het was de laatste dinsdag van juni 2006. Na een hartelijke begroeting en een korte update, vertelde Vincent me dat hij één van mijn grootste fans was. "Hoe bedoel je dat?" vroeg ik hem. "Nou, ik heb al heel veel boeken van je gekocht om die te geven aan mensen in mijn afdeling," zei Vincent. "Dat is tof." antwoordde ik. Vincent ging verder: "De reden waarom ik je boeken heb gekocht, is dat het heel belangrijk is voor mensen in een grote en constant veranderende omgeving als Mobistar om een goed netwerk te hebben, voor hun eigen carrière en om hun projecten op tijd en binnen het budget af te krijgen." En hij ging verder en gaf me nog meer redenen.

Nadat hij met veel enthousiasme het belang van netwerken voor zijn organisatie had uitgelegd, vroeg ik hem: '**Vincent, als netwerken zo belangrijk is voor de medewerkers van Mobistar, kan je Mobistar en mij dan een plezier doen en me in contact brengen met de training manager, door ons aan elkaar voor te stellen via één e-mail?**'

'Ja, natuurlijk, met plezier,' antwoordde Vincent. En inderdaad, twee dagen later ontving ik zijn e-mail. Een dag later, op vrijdagochtend, kreeg ik een telefoontje van Ann Rutten, de training manager van Mobistar, die me vroeg of we elkaar konden ontmoeten, om te praten over een netwerktraining voor haar bedrijf. De volgende maandag hadden we die ontmoeting en een dag later programmeerden we de datums voor een proefsessie in oktober 2006. Vanaf die dag zijn we op regelmatige basis netwerktrainingen voor Mobistar aan het geven (en ik hoop dat we dat nog lange tijd zullen kunnen blijven doen voor deze gewaardeerde klant).

Waarom geef ik dit voorbeeld? Om je te laten zien hoe gemakkelijk het is om zo'n introductie e-mail te vragen. Het kost niet veel tijd en helemaal geen geld, dus waarom zouden mensen niet een Magische E-mail schrijven?

Ik hoor je al zeggen: 'Maar Jan, nog nooit heeft iemand voor mij zo'n e-mail geschreven.' Dat kan waar zijn, maar heb je het ooit iemand gevraagd om dit voor je te doen? En meer nog, deel je je doelen met mensen? We willen allemaal andere mensen helpen, in het bijzonder als dat niets kost en maar weinig tijd van ons vraagt (zoals bijvoorbeeld het schrijven van een e-mail). Maar we moeten wel weten hoe we elkaar kunnen helpen. We moeten dus weten wat voor doelen mensen hebben.

Kijk dus even terug naar je doel uit de D.O.E.N. oefening en vraag de mensen in de eerste kolom om die Magische E-mail voor je te schrijven. Je zult versteld staan van de hulp die je zult krijgen!

Extra tip: in de fundamentele principes van de netwerk attitude en bij de eerste hoek van de Gouden Driehoek hebben we het al gehad over geven en delen. Het gemakkelijkste wat je kunt delen, zijn je contacten. Begin dus nu met het schrijven van Magische E-mails voor andere mensen en je zult snel ervaren dat je dingen terug krijgt van je netwerk.

De Magische E-mail via LinkedIn

Je hoeft in feite geen e-mail te sturen, maar kunt gewoon LinkedIn gebruiken om twee mensen met elkaar in verbinding te brengen (natuurlijk er van uitgaand dat beiden op LinkedIn zitten).

Hoe moet je dat doen?

- Ga in het linker navigatiemenu naar 'Inbox' en vervolgens 'Compose Message'
- Zet de mensen die je met elkaar in verbinding wilt brengen in het 'To' vakje. Je kunt kiezen om hun voornaam of achternaam (deels) in te voeren (er zal een lijst met mensen te verschijnen) of je kunt je lijst met Connections gebruiken om uit te kiezen (klik op het pictogram 'In').

Maar desalniettemin raad ik je aan om zelf 'gewone' e-mails te schrijven of iemand te vragen je te introduceren bij de persoon waar je naar op zoek bent via een 'gewone' e-mail. Waarom?

- Niet iedereen op LinkedIn bezoekt die website op regelmatige basis.
- Een gewone e-mail wordt nog steeds als persoonlijker ervaren en werkt beter dan een introductie via LinkedIn. Maar natuurlijk is het feit dat de verbinding wordt gelegd belangrijker dan het medium waarmee dat gebeurt.

De kracht van LinkedIn

Heb je de oefening m.b.t. het definiëren van je doel gedaan? Als je net zoals ik bent, dan heb je de oefening overgeslagen en heb je verder gelezen. Wie ben ik om je tegen te houden? Het zal echter een enorm verschil uitmaken in het ervaren van de kracht van LinkedIn als je de oefening wel hebt gedaan. Doe dus alsjeblieft de oefening nu, als je die nog niet hebt gedaan. Als je ze wel hebt gedaan, ga dan verder met het lezen van dit hoofdstuk.

Laten we nu eens dieper ingaan op de echte kracht van LinkedIn. Wat is die kracht? LinkedIn maakt connecties tussen mensen zichtbaar. Veel mensen zeggen: 'Nou en? Ik weet dat ik nu de connecties van de mensen van mijn eerstegraads netwerk kan bekijken. Maar wat heb ik daaraan?'

Als je start vanuit een bepaald doel, kan je dat op een andere manier benaderen dan de meeste mensen dit doen. Begin niet vanuit de mensen in je netwerk om te kijken wie ze allemaal kennen, maar begin bij de mensen die zich in de beste positie bevinden om je te helpen je doelen te bereiken, en dan te kijken via wie je met hen geconnecteerd bent.

Omdat LinkedIn alleen de namen laat zien van mensen wanneer ze met jou verbonden zijn via je eigen contacten, is het des te belangrijker dat je een goed fundament hebt. Als je de stappen uit het vorige hoofdstuk hebt gevolgd, dan heb je dit fundament.

Dus wat is onze volgende stap?

We gaan gebruik maken van de zoekfunctionaliteit van LinkedIn.

Zoals reeds vermeld, heeft LinkedIn een paar verschillende zoekfunctionaliteiten. Voor deze oefening zullen we ons richten op de Advanced Search functionaliteit.

Waar kan je deze vinden? Klik in het navigatiemenu bovenaan de pagina op 'People', of gebruik het vak 'Search' bovenaan de pagina (klik op 'Advanced', naast de knop 'Search').

Laten we nu dus eens kijken naar een paar situaties die je zou kunnen tegenkomen en wat je dan moet doen op LinkedIn.

Situatie 1: je kent de naam van de persoon die je zoekt.

Ken je de naam van de persoon die zich in de beste positie bevindt om je te helpen je doel te bereiken, vul dan de voornaam en achternaam van die persoon in in de respectievelijke zoekvelden.

Er zijn nu twee resultaten mogelijk: ofwel vind je de persoon, ofwel vind je hem of haar niet.

- Als je de persoon niet vindt, dan betekent dit dat hij nog geen Profile heeft op LinkedIn. Vroeger kon het gebeuren dat je iemand niet kon vinden als hij of zij zich niet binnen de derde graad van je netwerk bevond, maar dit is veranderd, en je krijgt nu de melding 'Out of your network'. Dit is al een verbetering, maar het nadeel is dat je nog steeds niet bij deze persoon kunt worden geïntroduceerd. Je kunt echter wel in zijn of haar Profile kijken, om uit te vinden van welke LinkedIn Groups hij of zij lid is. Leden van dezelfde Group kunnen immers rechtstreeks met elkaar contact opnemen. Het is nog steeds wat raadwerk en extra werk dat je moet doen, maar als je echt een connectie met de persoon wilt hebben, dan is het misschien de moeite waard.
- Als je de persoon wel vindt, dan kan je zien hoeveel graden hij of zij van je afstaat en hoeveel Connections hij of zij heeft. Als de persoon slechts enkele Connections heeft, dan gebruikt hij of zij LinkedIn waarschijnlijk niet. In dat geval moet je niet te veel verwachten van interacties op LinkedIn met deze persoon. Maar je hebt wel een alternatief: de Magische E-mail. Vraag je gemeenschappelijke contact om jullie via een gewone e-mail aan elkaar te introduceren.

Laten we aannemen dat je de persoon hebt gevonden. Wat is je volgende actie?

- Klik op de naam. Je ziet nu zijn of haar Profile.
- Ga iets naar beneden op de pagina. Aan de rechterkant zie je nu een veld 'How you're connected to *name*'. Hier zie je de

Connections tussen jullie twee. Het is hier waarin de kracht van LinkedIn zit: het laten zien van de connecties tussen mensen.

- De volgende stap is in contact te komen met deze persoon. Er zijn twee manieren om dit te doen: via LinkedIn of buiten LinkedIn om.
    - Als je het via LinkedIn wilt doen, klik dan op 'Get introduced through a connection', rechts bovenaan.
    - Heb je meer dan één wederzijdse Connection, kies dan de persoon van wie je wilt dat hij of zij de introductie doet, en klikt op "Continue". Als je slechts één wederzijdse Connection hebt, dan doet LinkedIn deze stap automatisch voor je.
    - Je moet nu een titel voor het bericht kiezen en een categorie, en twee berichten schrijven. Eén voor de uiteindelijke ontvanger en één voor je eerstegraads contact. Wees je er wel bewust van dat beide personen beide berichten kunnen lezen! Wees dus altijd professioneel in het schrijven van je berichten aan je eerstegraads netwerk, zelfs als dit je beste vriend is waar je bijvoorbeeld altijd mee uitgaat.
    - Wat gebeurt er vervolgens? Je bericht wordt verstuurd aan je eerstegraads Connection. Hij of zij kan besluiten om het bericht al dan niet door te sturen. Je kunt op LinkedIn altijd zien op welk punt van de keten (= welke persoon) je bericht is.

Belangrijke opmerking: als je hebt ontdekt dat de persoon naar wie je op zoek bent een tweedegraads contact is, GEBRUIK DAN NIET de functionaliteit 'Get introduced through a connection' van LinkedIn. Waarom niet? Omdat het dan een actie is die van jou uitgaat. Jij bent dan nog steeds degene die het initiatief heeft genomen.

Wat is het alternatief? Doe het buiten LinkedIn om. Gebruik LinkedIn als je research database en doe alle communicatie buiten LinkedIn om. Wat doe je dan in de praktijk?

- Zoek uit wie je eerstegraads Connection is die je het beste kent.
- Bel je eerstegraads contact.
- Leg je situatie uit en vraag hem of haar om een Magische E-mail te schrijven waarin hij of zij jou en de persoon die je zoekt aan elkaar voorstelt.

Waarom is dit zo krachtig? Omdat de Magische E-mail niet van jou afkomstig is, maar van een vertrouwde derde partij. De ontvanger zal hiervoor veel opener staan dan voor een bericht van jou, zelfs als dat doorgestuurd werd door iemand die hij kent.

Als de persoon die je zoekt echter een derdegraads Connection is, kan je alleen via LinkedIn contact opnemen, omdat je niet kunt zien wie er tussen je eerstegraads Connection en die persoon zit(ten).

Opmerking: als het echt belangrijk is, kan je je eerstegraads Connection vragen om deze persoon op te zoeken op LinkedIn. Misschien ken je zelf de 'onzichtbare' persoon, maar ben je nog niet geconnecteerd met hem.

Situatie 2: je kent de naam van de persoon niet, maar je weet naar welke functie je op zoek bent, of je hebt andere informatie waarmee je de persoon kunt vinden

Als je de naam niet kent van de best geplaatste persoon die je kan helpen je doel te bereiken, maar wel zijn of haar functie kent of andere informatie hebt, gebruik dan andere parameters in je zoekopdracht.

Op de 'Advanced' pagina van 'People Search' heb je diverse opties om je zoekopdracht te verfijnen. Deze opties zijn:

- **Keywords:** hier kan je alles invullen wat je maar wilt. LinkedIn zoekt dan overal (in vrije tekst en in lijsten).
- **Location**: 'Anywhere' (standaard) of 'Located near'. Merk op: LinkedIn werkt met geografische gebieden en niet met specifieke steden.
- **First Name and Last Name**: dit spreekt vanzelf.
- **Title**: functie. Interessante keuzemogelijkheid hierbij is dat je kunt kiezen tussen alleen mensen die op dit moment die functie hebben, tussen mensen die dat in het verleden hadden of tussen beide mogelijkheden (standaard).
- **Company**: bedrijf. Interessant keuzemogelijkheid hierbij is dat je kunt kiezen tussen alleen mensen die op dit moment voor dit bedrijf werken, tussen mensen die in het verleden voor het bedrijf hebben gewerkt of tussen beide mogelijkheden (standaard).
- **School**: dit spreekt vanzelf.
- **Industry**: je kunt zoeken in 'All industries' of in specifieke sectoren.
- **Groups**: je kunt zoeken in alle Groups waar je lid van bent of in specifieke Groups.
- **Interested In**: 'Any user' (standaard) of het specifieke type waarvan de gebruiker heeft aangegeven erin geïnteresseerd te zijn.
- **Joined your network**: 'Anytime' (standaard) of over een korte tijdsduur.
- **Sort by**: sortering van de resultaten:
    - **Relevance** (standaard): combinatie van de parameters die je hebt gebruikt en wie er in je netwerk zit.

  - **Relationship (vroeger 'Degrees away from you')**: gebruik deze optie als je niet op zoek bent naar een specifieke persoon. Tweedegraads Connections zijn gemakkelijker te bereiken (via de Magische E-mail) dan derdegraads Connections. In deze sorteeroptie worden eerst de eerste en tweedegraadscontacten getoond. Vervolgens de personen waarmee je samen in een Group zit, tenslotte derdegraadscontacten en 'out of your network'.
  - **Relationship + Recommendations (vroeger 'Degrees and recommendations')**: zelfde als 'Relationship', alleen wordt er bij het sorteren ook rekening gehouden met het aantal Recommendations die mensen hebben. Gebruik deze optie als je op zoek bent naar een leverancier of partner. De Recommendations geven je direct een eerste indruk.
  - **Keyword:** enkel de parameters die je hebt gebruikt (er wordt dus geen rekening gehouden met hoe ver de personen van je verwijderd zijn)
- **Views:** hoe de resultaten worden getoond: uitgebreid (standaard) of basis. Het verschil tussen beide is dat 'Expanded view' extra huidige functies en functies uit het verleden toont.

Je kunt nu twee resultaten krijgen: ofwel vind je de persoon, ofwel vind je hem of haar niet. Als je de persoon hebt gevonden, kijk dan onder Situatie 1 voor de stappen die je moet nemen.

Heb je de persoon niet gevonden, dan kan zoals reeds gezegd de reden daarvan zijn dat hij of zij geen Profile op LinkedIn heeft. Er kunnen echter nog andere redenen zijn:

- Hij of zij heeft een andere functie ingevuld dan die waar je naar op zoek bent. Je hebt misschien op 'Human Resources Director' gezocht, terwijl hij of zij 'HR Manager' heeft ingevuld. Voer dus verschillende functiebenamingen in als je iemand niet kunt vinden.
- Je hebt in je zoekopdracht andere parameters gebruikt dan de persoon die je zoekt in zijn of haar Profile heeft ingevuld. Speel met de opties door je zoekopdracht te verfijnen aan de rechterkant (of de opties voor 'Sort by' te veranderen, bovenaan de zoekresultaten). Misschien heeft de persoon niet meer dezelfde functie (verander de optie 'Current & past' bij 'Title') of is verhuisd naar een ander bedrijf (verander de optie 'Current & past' bij 'Company'). Of misschien heeft de persoon zichzelf ingedeeld bij een andere categorie dan die jij hebt gebruikt.

Conclusie van dit hoofdstuk

In dit hoofdstuk heb je de D.O.E.N. oefening gedaan: je hebt een doel opgeschreven, de mensen die zich in de beste positie bevinden om je te helpen je doel te bereiken genoteerd en hebt hulp van anderen gekregen voor extra ideeën voor je tabel.

Je hebt ook geleerd wat de krachtigste tool is om te gebruiken in combinatie met LinkedIn: de Magische E-mail.

We hebben dit hoofdstuk afgesloten met het gebruiken van de informatie uit de D.O.E.N. oefening om de kracht van LinkedIn écht te ervaren: we hebben de mensen uit onze tabel opgezocht op LinkedIn, via hun functie of via hun naam, ontdekt wie onze wederzijdse Connections zijn en die mensen gevraagd ons aan elkaar voor te stellen door middel van de Magische E-mail.

Ik hoop echt dat je de D.O.E.N. oefening hebt gedaan en hebt ervaren wat LinkedIn voor jou kan betekenen. Heb je de oefening gedaan, dan zal je overtuigd zijn geraakt van de kracht van LinkedIn. Je zult ook veel beter de tips in het volgende hoofdstuk, over geavanceerde strategieën, begrijpen.

Geavanceerde LinkedIn strategieën

Voordat je begint met het lezen van dit hoofdstuk, moet je echt de vorige hoofdstukken hebben gelezen. De reden hiervan is dat de geavanceerde strategieën voortbouwen op de strategie van de vorige hoofdstukken.

De rest van dit hoofdstuk is onderverdeeld naar het type behoefte dat mensen hebben. Het zijn de volgende onderwerpen:

Kies het onderwerp dat het beste bij je past en lees dat deel. Je kunt natuurlijk altijd terugkomen naar dit hoofdstuk en de geavanceerde strategieën voor de andere onderwerpen lezen. Omdat de meeste mensen slechts één deel van dit hoofdstuk lezen, zal je bij het lezen van de overige onderwerpen wel enkele herhalingen tegenkomen.

9 Geavanceerde strategieën om nieuwe klanten te vinden

Je netwerk is je krachtigste en goedkoopste hulpmiddel bij het vinden van nieuwe klanten. Laten we eens kijken naar enkele geavanceerde strategieën die gebruik maken van de kracht van je netwerk om deze prospecten te vinden en er contact mee te leggen.

Strategie 1: Definieer je klanten/prospecten

Als je een nieuwe klant wilt vinden, dan is de eerste stap het stellen van je doelen, zoals we in het vorige hoofdstuk hebben gedaan. Normaal gesproken maak je als je je verkoopdoelen definieert ook een goede definitie van je prospecten.

Let hierbij op de volgende zaken: in welke sector werken je prospecten? Op welke geografische locaties bevinden ze zich? Welke functies of titels hebben de mensen met wie je contact hebt? Wat voor parameters heb je nog meer? Denk er aan verschillende synoniemen te gebruiken voor de functies waar je naar op zoek bent. En beperk je niet tot de mensen die de uiteindelijke beslissing nemen, maar zoek ook naar de beïnvloeders.

Misschien heb je op je lijst met prospecten al specifieke namen van personen of bedrijven staan. Dat is een goed startpunt om de juiste mensen te vinden.

Strategie 2: Meer prospecten vinden

Dit zijn de extra strategieën die je kunt volgen om nog meer prospecten te vinden:

1. **Kijk in de netwerken van je huidige klanten**. De kans is groot dat zij een connectie hebben met collega's in andere afdelingen in hetzelfde land, met zusterondernemingen in andere landen en met hun collega's in andere bedrijven.
2. **Kijk in de Profiles bij 'Viewers of this Profile also viewed'**: ook op deze manier kan je prospecten vinden. Deze informatie vind je aan de rechterkant van alle Profile-pagina's.
3. **Word lid van de Groups waar je klanten en prospecten ook lid van zijn.** Kijk hiervoor in de Profiles van je Connections. De Groups waar iemand lid van is, staan onderaan de pagina. In Groups kan je ook mensen vinden die buiten je netwerk liggen. Een bijkomend voordeel van het lidmaatschap van een Group is namelijk dat je direct contact kunt opnemen met alle andere leden van de Group (veel mensen zetten de mogelijkheid dat mensen buiten hun netwerk direct contact kunnen opnemen uit, maar ze vergeten dat vaak te doen voor de Groups waar ze lid van zijn).
4. **Kijk in 'Companies' in het navigatiemenu bovenaan alle pagina's**. Ook hier kan je extra informatie vinden over je prospecten. Nog niet alle bedrijven zijn op dit moment opgenomen in deze directory - tot nu toe alleen de grotere - maar dat zal in de nabije toekomst veranderen. Kijk in het bijzonder onder 'Divisions'. Als het bedrijf al klant van je is, dan zijn de divisies ervan mogelijke nieuwe klanten voor je. Het verbaast me elke keer weer hoe vaak het wiel opnieuw wordt uitgevonden en hoe slecht de communicatie tussen afdelingen en divisies is. Hoe groter een organisatie, des te meer dit geldt. Maak dus gebruik van LinkedIn om de mensen in die andere divisies te vinden en vraag vervolgens om een introductie of doorverwijzing.

Strategie 3: Zoek je klanten en prospecten op op LinkedIn

Met de informatie uit strategieën 1 en 2 kan je gaan zoeken, zoals beschreven in het vorige hoofdstuk, en de tussenliggende Connections vragen om je via een Magische E-mail in contact te brengen met je prospecten.

Maar wat moet je doen als het contact eenmaal tot stand is gekomen?

Onthoud dat LinkedIn een NETWERK platform is en niet een VERKOOP platform.

Dit betekent dat je na het ontvangen van een introductie bij je prospect moet beginnen een relatie met die persoon op te bouwen, en hem of haar niet met verkooptelefoontjes en brochures moet bombarderen.

Denk dus na over hoe je je prospecten zou kunnen helpen. Denk na over wat je hen kunt geven of met hen delen zonder daarvoor onmiddellijk iets terug te verwachten. (Voor een lijst van dingen die je zou kunnen geven of delen verwijs ik je naar mijn boek 'Let's Connect!')

Strategie 4: Word lid van Groups

Na het maken van een goede definitie van je klanten en prospecten wordt het veel eenvoudiger om te bepalen van welke 'real life' verenigingen en clubs je lid wilt worden. En ook van welke Groups op LinkedIn.

Naar Groups kan je zoeken in de Groups Directory.

Als je nog steeds niet weet bij welke Groups je je wilt aansluiten of in welke Groups je prospecten zitten, maak dan gebruik van de intelligentie van LinkedIn: kijk in de Profiles van je huidige klanten om uit te vinden van welke Groups zij lid zijn. Je zult versteld staan!

Ben je eenmaal lid geworden van een Group, denk er dan aan dat het gaat over het opbouwen van relaties en het vergroten van je eigen visibiliteit en credibiliteit. Dit kan je bereiken door bijdragen te leveren aan de Discussions forums. Nogmaals, denk er aan dat de forums plekken zijn om mensen te helpen en ze adviezen te geven, en niet om je producten of diensten te verkopen. Als je advies en hulp geeft, dan zal je daarmee je 'Know, Like and Trust' factor verhogen.

Andere interessante Groups om lid van te worden zijn Groups van andere verkopers, account managers of ondernemers in je regio. Niet alleen kan je hier van elkaar leren, maar door relaties op te bouwen met de andere Groups leden kunnen er opdrachten jouw kant uitkomen.

Strategie 5: Beantwoord vragen in Answers

Een andere manier om je zichtbaarheid en credibiliteit te vergroten is het beantwoorden van vragen in het Answers gedeelte van LinkedIn. Op de eerste plaats kan je hier opvallen door de kwaliteit van je antwoorden.

Als iemand die een vraag heeft gesteld jouw antwoord het beste vindt, kan hij of zij je een Expert Point toekennen. Afhankelijk van de categorie waarin je een vraag hebt beantwoord, kan dat al snel leiden tot extra zichtbaarheid, doordat je hiermee op de Expert List komt te staan.

Een kleine opmerking: op het moment dat ik dit boek schrijf zijn alle categorieën onderwerp gerelateerd. Dat betekent dat er geen onderverdelingen zijn naar bijvoorbeeld een specifieke geografische locatie of een specifieke sector. Het hangt er dus vanaf wie je doelgroep is en hoe actief die op Answers is of dit de moeite waard is of niet.

Strategie 6: Verhoog je aantal Recommendations

Zoals ik al heb geschreven in Fundamenteel Principe nummer 5 van het netwerken: mensen doen zaken met en verwijzen zaken door naar mensen die ze kennen, mogen en vertrouwen.

Wat het interessante aan vertrouwen is, is dat dit kan worden doorgegeven. Of tenminste een deel daarvan. Als je op zoek bent naar een loodgieter en een goede vriend van je beveelt er één aan, vertrouw je die loodgieter dan niet beter dan voorheen?

LinkedIn helpt je ook hierbij: mensen kunnen op LinkedIn Recommendations voor elkaar schrijven. We hebben het echter allemaal zo druk, dat we er niet aan denken om dit spontaan te doen.

Hoe kan je dan meer Recommendations krijgen? Dit zijn twee mogelijke strategieën:

1. **Vraag je huidige klanten en collega's om een Recommendation**. Je kunt hiervoor de tools gebruiken die LinkedIn biedt, maar ik raad je aan om hier nog één of andere vorm van communicatie aan toe te voegen. Je kunt tijdens een persoonlijk gesprek of tijdens een telefoongesprek het onderwerp Recommendations op LinkedIn naar voren brengen en je gesprekspartner vragen een kleine Recommendation voor je te schrijven. Doe het vooral op deze manier als je klanten om een Recommendation vraagt. Vraag je collega's, dan kan je het ook per e-mail doen.
   Via LinkedIn kan je dan een herinnering sturen, waarin je verwijst naar het gevoerde gesprek. Je kunt op LinkedIn een Recommendation aanvragen via 'Profile', dan via 'Recommendations' en tenslotte 'Request Recommendation'. Gebruik ook hier niet het standaard bericht, maar maak het persoonlijk en verwijs in het bericht naar jullie gesprek. Het kost je iets meer tijd als je het op deze manier doet, in plaats van met het standaardbericht van LinkedIn, maar de resultaten zullen dan ook veel beter zijn. Bedenk ook dat als je alleen het standaardbericht van LinkedIn gebruikt om een Recommendation te vragen, zonder enige andere vorm van communicatie, dit onprettig kan overkomen bij de mensen van wie je graag wilt dat ze je een Recommendation geven. Je zult dan het tegenovergestelde resultaat krijgen van wat je wilde: je hebt de relaties met je huidige klanten en collega's meer geschaad dan dat je aantrekkelijkheid voor nieuwe klanten is toegenomen.

2. **Schrijf eerst zelf een Recommendation voor iemand anders**. Het standaard bericht dat LinkedIn iemand laat zien die net een Recommendation heeft ontvangen (en dit kan niet worden veranderd) is een uitnodiging om een Recommendation terug te schrijven. Veel mensen doen dit ook. Als je deze strategie volgt, wees dan wel eerlijk en begin niet met het extreem loven van

mensen die je maar eenmaal hebt ontmoet. Je kansen om een Recommendation terug te krijgen nemen daardoor juist af. En als iemand je ooit eens vraagt naar de persoon voor wie je een Recommendation hebt geschreven, zal je ook nog moeten toegeven dat je die persoon helemaal niet zo goed kent. En dat kan je geloofwaardigheid aantasten.

Opmerkingen:

- Als je niet helemaal gelukkig bent met een Recommendation, omdat die niet accuraat is, of te vaag, dan kan je de schrijver ervan vragen om de Recommendation aan te passen. Als je er daarna nog niet gelukkig mee bent, dan kan je er altijd nog voor kiezen om de Recommendation niet op je Profile te tonen.
- Soms zullen je Connections je antwoorden dat ze niet weten wat ze moeten schrijven. Je kunt dan voorstellen om zelf een eerste versie te schrijven die ze als basis kunnen gebruiken. Als je eerlijk bent en niet overdrijft, zullen ze heel waarschijnlijk jouw versie gebruiken voor de Recommendation, zonder daar iets aan te veranderen.

Strategie 7: Gebruik de 'Status Update' functie

Met de 'Status Update' functie kan je mensen laten weten wat je op dit moment aan het doen bent. Je hebt hiervoor 100 tekens tot je beschikking.

Hoe kan dit je helpen? Als je op zoek bent naar een bepaalde persoon of functie die je niet kunt vinden op LinkedIn, dan kan je dit hier melden. Dit bericht wordt getoond aan het grootste deel van de mensen in je netwerk. Zij kennen misschien iemand die nog niet op LinkedIn zit of iemand met een Profile dat buiten je zoektermen viel.

Je kunt zelf kiezen wie deze 'Status Update' kan zien: alleen je directe Connecties, de drie graden van je netwerk, of iedereen. Afhankelijk van wat je hebt opgeschreven en van wie er allemaal in je netwerk zitten, kan het interessant zijn om elke keer als je je status verandert, deze instelling ook te veranderen.

Verwacht hier niet al te veel van, want niet iedereen leest deze 'Status Updates' of reageert erop. Aan de andere kant kost het je maar een paar seconden van je tijd en je weet maar nooit wie je zou kunnen helpen.

Waar vind je dit? Klik in het linker navigatiemenu op 'Profile'. In het witte vakje onder je foto kan je vervolgens je status updaten.

Opmerking: als je ook een account hebt op websites als Plaxo, Facebook, MySpace of Twitter, zijn er nu tools beschikbaar waarmee je je status kunt updaten voor alle websites tegelijkertijd. Zie het hoofdstuk 'Gratis tools die je tijd besparen als je met LinkedIn werkt'.

Strategie 8: Houd de Network Updates in de gaten

De Network Updates op je LinkedIn Home Page kunnen je interessante informatie bieden.

Bijvoorbeeld als er iemand van functie verandert bij je klant of bij een prospect. Je kunt dan actie ondernemen om uit te vinden of je leverancier van het nieuwe bedrijf of je nieuwe contact kunt worden en om te vragen of je kunt worden geïntroduceerd bij zijn of haar opvolger. Als iemand bij een prospect van functie verandert of het bedrijf verlaat, dan is ook dat een nieuwe kans voor je om tot zaken te komen.

Het is ook interessant om in de gaten te houden wie zich allemaal aansluiten bij de Groups waar je lid van bent. Zo'n persoon kan nieuw zijn op LinkedIn en niet in je netwerk zitten. Via je eigen netwerk kan je dus geen contact met die persoon leggen, maar wel via de Group.

Kijk ook wie er allemaal vragen stellen, en wie ze beantwoorden. Je kunt hiermee informatie krijgen over specifieke situaties bij bepaalde organisaties, of algemene tendenzen in de markt.

Het kan ook interessant zijn om te kijken wie er met wie connecteert. Als je ziet dat een prospect en een goed zakelijk contact een Connection maken, dan kan je je contact vragen je te introduceren (of zelfs aan te bevelen) bij deze prospect.

Tenslotte houdt het volgen van de Network Updates je waakzaam. Als je bijvoorbeeld merkt dan één van je concullega's een connectie heeft gemaakt met één van je huidige klanten, dan is dat een waarschuwingssignaal dat je die klant moet bellen of bezoeken.

Strategie 9: Gebruik LinkedIn als generator van potentiële leads door alerts te creëren

LinkedIn biedt je de mogelijkheid om je zoekopdrachten op te slaan en deze automatisch te laten lopen. Met een gratis account kan je 3 zoekopdrachten opslaan. Deze kan je handmatig uitvoeren, maar je kunt ze ook automatisch laten lopen, bijvoorbeeld elke week of maand.

Waarom kan dit nuttig voor je zijn? Nadat je een definitie van je klant(en) hebt gemaakt en hebt geëxperimenteerd met de zoekfunctie om hen te vinden, kan je die zoekopdracht(en) opslaan en automatisch laten lopen. Elke week of elke maand zal LinkedIn je dan een e-mail sturen met de nieuwe mensen die aan de zoekcriteria van de opgeslagen zoekopdrachten voldoen.

Je begrijpt nu de kracht van LinkedIn en hoe je hiermee je verkopen naar een hoger niveau kunt tillen. Als je nog meer tips wilt, bijvoorbeeld over het creëren van een netwerk van "ambassadeurs" die je klant na klant aanbrengen, zodat je nooit meer koude prospectie of koude acquisitie hoeft te doen, bekijk dan onze 'Everlasting Referrals Home Study Course' op: www.everlasting-referrals.com

11 Geavanceerde strategieën om een nieuwe medewerker of kandidaat te vinden

Je netwerk is je krachtigste en goedkoopste hulpmiddel om nieuwe medewerkers of kandidaten te vinden. Laten we eens kijken naar enkele geavanceerde strategieën om de kracht van je netwerk te gebruiken om een nieuwe medewerker of kandidaat te vinden.

Strategie 1: Definieer het profiel van de nieuwe medewerker/kandidaat

Bij het zoeken naar een nieuwe medewerker of kandidaat is de eerste stap het stellen van doelen zoals we dat in voorgaande hoofdstukken ook hebben gedaan. Normaal gesproken zal je bij het definiëren van dat doel ook een goede definitie schrijven van het profiel van de medewerkers of kandidaten waar je naar op zoek bent.

Let daarbij op de volgende zaken: in welke sector zitten ze? Op welke geografische locatie bevinden ze zich? Welke functie of functietitel moeten ze hebben? Denk daarbij aan huidige en vroegere functies. Welke opleiding moeten ze hebben genoten? Welke andere parameters heb je nog meer? Vergeet niet verschillende synoniemen te gebruiken voor de functie of expertise waar je naar op zoek bent.

Misschien heb je al namen van specifieke mensen op je lijst staan. Dat is alvast goede informatie waarmee je de juiste mensen kunt vinden.

Strategie 2: Nog meer kandidaten vinden

Met de volgende strategieën kan je nog meer kandidaten vinden:

1. **Kijk in de netwerken van je huidige contacten met een gelijkaardige functie of rol**. De kans is groot dat zij geconnecteerd zijn met collega's in andere afdelingen in hetzelfde land, met zusterondernemingen in andere landen en met hun collega's in andere bedrijven. Lees ook hun Profiles om te zien welke woorden zij gebruiken om hun expertise te omschrijven. Je kunt daarmee nieuwe woorden of synoniemen ontdekken, die je kunt gebruiken voor je zoekopdrachten.
2. **Kijk in de Profiles van je kandidaten bij 'Viewers of this Profile also viewed'**: ook op deze manier kan je andere kandidaten vinden. Deze informatie vind je aan de rechterkant van alle Profile-pagina's.
3. **Word lid van de Groups waar je kandidaten ook lid van zijn.** Kijk hiervoor in de Profiles van je Connections. De Groups waar iemand

lid van is, staan onderaan de pagina. In Groups kan je ook mensen vinden die buiten je netwerk liggen. Een bijkomend voordeel van het lidmaatschap van een Group is namelijk dat je direct contact kunt opnemen met alle andere leden van de Group (veel mensen zetten de mogelijkheid dat mensen buiten hun netwerk direct contact kunnen opnemen uit, maar ze vergeten dat vaak te doen voor de Groups waar ze lid van zijn).

4. **Kijk in 'Companies' in het navigatiemenu bovenaan alle pagina's**. Ook hier kan je extra informatie vinden over de bedrijven waarvoor mensen werken of hebben gewerkt. Nog niet alle bedrijven zijn op dit moment opgenomen in deze directory - tot nu toe alleen de grotere.

Strategie 3: Zoek je kandidaten op op LinkedIn

Met de informatie uit strategieën 1 en 2 kan je gaan zoeken, zoals beschreven in het vorige hoofdstuk, en de tussenliggende Connections vragen om je via een Magische E-mail in contact te brengen met je kandidaat.

Maar wat moet je doen als het contact eenmaal tot stand is gekomen?

Onthoud dat de kracht van een netwerk in de tweede graad ligt. Richt je aandacht dus niet alleen op de persoon die je gevonden hebt, maar vraag ook om introducties bij geschikte kandidaten die hij of zij misschien kent.

Strategie 4: Gebruik de LinkedIn Jobs tools

LinkedIn biedt verschillende tools die je kunnen helpen bij het zoeken naar een geschikte kandidaat.

Om te beginnen klik je in het navigatiemenu bovenaan alle pagina's op 'Jobs'. Klik dan op 'Need to Fill a Position', rechts bovenaan. Of je kunt ook op de pijl naast 'Jobs' klikken en 'Hiring Home' selecteren.

Op deze pagina zie je drie mogelijkheden:

- **Post a job today**: hiermee kom je op de pagina waar je een vacature kunt plaatsen. Je hebt hier enkele interessante parameters tot je beschikking:
    - **In additional information kan** je één of meer van de volgende opties kiezen:
        - Applicants with Recommendations preferred
        - Referrals through my network preferred
        - Local candidates only, no relocation
        - Third party applications not accepted

  - Als je een vacature plaatst, kan je er voor kiezen om al dan niet je Profile daarin op te nemen. Een volgende stap kan zijn om na het plaatsen van de vacature deze via je netwerk op LinkedIn te verspreiden. Het opnemen van je Profile in een vacature creëert extra zichtbaarheid in je eigen netwerk voor jou. LinkedIn schrijft ook "*Listings with Profiles receive special promotion to candidates in your network'*.

- **Upgrade to find more candidates**: als je een upgrade van je lidmaatschap doet, dan ben je niet langer gelimiteerd tot de eerste drie graden, maar kan je met iedereen op LinkedIn direct contact opnemen.
- **Empower your corporate staffing**: LinkedIn biedt extra tools voor recruitment teams.

Strategie 5: Reference Search

Als je een kandidaat hebt gevonden, kan je op LinkedIn ook een Reference Search doen (alleen met een Business of Pro account).

Klik op 'People' en vervolgens op het tabblad 'Reference Search'.

Vervolgens kan je de naam van een bedrijf waar je kandidaat werkt of heeft gewerkt invullen en een tijdsperiode (tussen jaar x en jaar y). LinkedIn geeft je dan een lijst van alle mensen die gedurende die tijd voor dat bedrijf hebben gewerkt.

Je kunt dan met enkele van die mensen contact opnemen om meer uit te vinden over je kandidaat.

Strategie 6: Word lid van Groups

Na het maken van een definitie van de goede kandidaat wordt het veel eenvoudiger om te bepalen van welke 'real life' verenigingen of clubs je lid wilt worden. En ook van welke Groups op LinkedIn.

Naar Groups kan je zoeken in de Groups Directory.

Als je nog steeds niet weet bij welke Groups je je wilt aansluiten of in welke Groups je kandidaten zitten, maak dan gebruik van de intelligentie van LinkedIn: kijk in de Profiles van je huidige kandidaten om uit te vinden van welke Groups zij lid zijn. Je zult versteld staan!

Ben je eenmaal lid geworden van een Group, denk er dan aan dat het gaat over het opbouwen van relaties en het vergroten van je eigen zichtbaarheid en credibiliteit. Dit kan je bereiken door bijdragen te leveren aan de Discussions forums. Nogmaals, denk er aan dat de forums plekken zijn om mensen te helpen en ze adviezen te geven, en niet (enkel) om mensen te rekruteren. Als je advies en hulp geeft, dan zal je daarmee je 'Know, Like and Trust' factor verhogen.

Andere interessante Groups om lid van te worden zijn Groups van andere recruiters in je regio of sector. Niet alleen kan je hier van elkaar leren, maar je kunt hier ook relaties opbouwen met die mensen, door bijdragen te leveren in Discussions. Vervolgens kan het gebeuren dat iemand kandidaten naar je doorstuurt.

Strategie 7: Beantwoord vragen in Answers

Een andere manier om je zichtbaarheid en credibiliteit te vergroten is het beantwoorden van vragen in het Answers gedeelte van LinkedIn. In de eerste plaats kan je hier opvallen door de kwaliteit van je antwoorden.

Als iemand die een vraag heeft gesteld jouw antwoord het beste vindt, kan hij of zij je een Expert Point toekennen. Afhankelijk van de categorie waarin je een vraag hebt beantwoord, kan dat al snel leiden tot extra zichtbaarheid, doordat je hiermee op de Expert List komt te staan.

Een kleine opmerking: op het moment dat ik dit boek schrijf zijn alle categorieën onderwerp gerelateerd. Dat betekent dat er geen onderverdelingen zijn naar bijvoorbeeld een specifieke geografische locatie of een specifieke sector. Het hangt er dus vanaf wie je doelgroep is en hoe actief die op Answers is of dit de moeite waard is of niet.

Hoe kan dit van nut zijn voor een recruiter? Niet alleen krijg je daardoor meer zichtbaarheid onder mogelijke klanten in het geval je voor een 'recruitment agency' werkt, maar ook krijgen de kandidaten met wie je contact opneemt hierdoor meer vertrouwen in je.

Strategie 8: Verhoog je aantal Recommendations

Zoals ik al heb geschreven in Fundamenteel Principe nummer 5 van het netwerken: mensen doen zaken met en verwijzen zaken door naar mensen die ze kennen, mogen en vertrouwen.

Wat het interessante aan vertrouwen is, is dat dit kan worden doorgegeven. Of tenminste een deel daarvan. Als je op zoek bent naar een loodgieter en een goede vriend van je beveelt er één aan, vertrouw je die loodgieter dan niet beter dan voorheen?

LinkedIn helpt je ook hierbij: mensen kunnen op LinkedIn Recommendations voor elkaar schrijven. We hebben het echter allemaal zo druk, dat we er niet aan denken om dit spontaan te doen.

Hoe kan je dan meer Recommendations krijgen? Dit zijn twee mogelijke strategieën:

1. **Vraag je huidige collega's en mensen die je al hebt gerekruteerd om een Recommendation**. Je kunt hiervoor de tools gebruiken die LinkedIn biedt, maar ik raad je aan om hier nog één of andere vorm van communicatie aan toe te voegen. Je kunt tijdens een

persoonlijk gesprek of tijdens een telefoongesprek het onderwerp Recommendations op LinkedIn ter sprake brengen en je gesprekspartner vragen een kleine Recommendation voor je te schrijven. Doe het vooral op deze manier als je mensen die je in het verleden hebt gerekruteerd om een Recommendation vraagt. Vraag je collega's, dan kan je het ook per e-mail doen.
Via LinkedIn kan je dan een herinnering sturen, waarin je terugverwijst naar het gevoerde gesprek. Je kunt op LinkedIn een Recommendation aanvragen via "Profile", dan "Recommendations" en tenslotte "Request Recommendation". Gebruik ook hier niet het standaard bericht, maar maak het persoonlijk en verwijs in het bericht naar jullie gesprek. Het kost je iets meer tijd als je het op deze manier doet, in plaats van met het standaardbericht van LinkedIn, maar de resultaten zullen dan ook veel beter zijn. Bedenk ook dat als je alleen het standaardbericht van LinkedIn gebruikt om een Recommendation te vragen, zonder enige andere vorm van communicatie, dit onprettig kan overkomen bij de mensen van wie je graag wilt dat ze je een Recommendation geven. Je zult dan het tegenovergestelde resultaat krijgen van wat je wilde: je hebt de relaties met je huidige klanten en collega's meer geschaad dan dat je aantrekkelijkheid voor potentiële kandidaten is toegenomen.

2. **Schrijf eerst zelf een Recommendation voor iemand anders**.
   Het standaard bericht dat LinkedIn iemand laat zien die net een Recommendation heeft ontvangen (en dit kan niet worden veranderd) is een uitnodiging om een Recommendation terug te schrijven. Veel mensen doen dit ook. Als je deze strategie volgt, wees dan wel eerlijk en begin niet met het extreem loven van mensen die je maar eenmaal hebt ontmoet. Je kansen om een Recommendation terug te krijgen, nemen daardoor juist af. En als iemand je ooit eens vraagt naar de persoon voor wie je een Recommendation hebt geschreven, zal je ook nog moeten toegeven dat je die persoon helemaal niet zo goed kent. En dat kan je geloofwaardigheid aantasten.

Opmerkingen:

- Als je niet helemaal gelukkig bent met een Recommendation, omdat die niet accuraat is, of te vaag, dan kan je de schrijver ervan vragen om de Recommendation aan te passen. Als je er daarna nog niet gelukkig mee bent, dan kan je er altijd nog voor kiezen om de Recommendation niet op je Profile te tonen.

- Soms zullen je Connections je antwoorden dat ze niet weten wat ze moeten schrijven. Je kunt dan voorstellen om zelf een eerste versie te schrijven die ze als basis kunnen gebruiken. Als je eerlijk bent en niet overdrijft, zullen ze heel waarschijnlijk jouw versie gebruiken voor de Recommendation, zonder daar iets aan te veranderen.

Strategie 9: Gebruik de 'Status Update' functie

Met de 'Status Update' functie kan je mensen laten weten wat je op dit moment aan het doen bent. Je hebt hiervoor 100 tekens tot je beschikking.

Hoe kan dit je helpen? Als je op zoek bent naar een bepaalde persoon of functie die je niet kunt vinden op LinkedIn, dan kan je dit hier melden. Dit bericht wordt getoond aan het grootste deel van de mensen in je netwerk. Zij kennen misschien iemand die nog niet op LinkedIn zit of iemand met een Profile dat buiten je zoektermen viel.

Je kunt zelf kiezen wie deze 'Status Update' kan zien: alleen je directe Connecties, de drie graden van je netwerk, of iedereen. Afhankelijk van wat je hebt opgeschreven en van wie er allemaal in je netwerk zitten, kan het interessant zijn om elke keer als je je status verandert, deze instelling ook te veranderen.

Verwacht hier niet al te veel van, want niet iedereen leest deze 'Status Updates' of reageert erop. Aan de andere kant kost het je maar een paar seconden van je tijd en je weet maar nooit wie je zou kunnen helpen.

Waar vind je dit? Klik in het linker navigatiemenu op 'Profile'. In het witte vakje onder je foto kan je vervolgens je status updaten.

Opmerking: als je ook een account hebt op websites als Plaxo, Facebook, MySpace of Twitter, zijn er nu tools beschikbaar waarmee je je status kunt updaten voor alle websites tegelijkertijd. Zie het hoofdstuk 'Gratis tools die je tijd besparen als je met LinkedIn werkt'.

Strategie 10: Houd de Network Updates in de gaten

De Network Updates op je LinkedIn Home Page kunnen je interessante informatie bieden.

Bijvoorbeeld als er iemand een cursus heeft gevolgd of naar een ander land verhuist. Hij of zij zou dan plotseling een potentiële kandidaat kunnen zijn.

Het is ook interessant om in de gaten te houden wie zich allemaal aansluiten bij de Groups waar je lid van bent. Zo'n persoon kan nieuw zijn op LinkedIn en niet in je netwerk zitten. Via je eigen netwerk kan je dus geen contact met die persoon leggen, maar wel via de Group.

Kijk wie er allemaal vragen stellen, en wie ze beantwoorden. Je kunt hiermee informatie krijgen over specifieke situaties bij bepaalde organisaties, of algemene tendenzen in de markt.

Het kan ook interessant zijn om te kijken wie er met wie een Connection aangaat. Als je ziet dat een kandidaat en een goed zakelijk contact met elkaar connecteren, dan kan je je contact vragen je te introduceren bij deze kandidaat.

Strategie 11: Gebruik LinkedIn als generator van potentiële kandidaten door alerts te creëren

LinkedIn biedt je de mogelijkheid om je zoekopdrachten op te slaan en deze automatisch te laten lopen. Met een gratis account kan je 3 zoekopdrachten opslaan. Deze kan je handmatig uitvoeren, maar je kunt ze ook automatisch laten lopen, bijvoorbeeld elke week of maand.

Waarom kan dit nuttig voor je zijn? Nadat je een definitie van je kandida(a)t(en) hebt gemaakt en hebt geëxperimenteerd met de zoekfunctie om hen te vinden, kan je die zoekopdracht(en) opslaan en automatisch laten lopen. Elke week of elke maand zal LinkedIn je dan een e-mail sturen met de nieuwe mensen die aan de zoekcriteria van de opgeslagen zoekopdrachten voldoen.

12 Geavanceerde strategieën om een nieuwe baan of stageplaats te vinden

Je netwerk is één van de beste hulpmiddelen bij het vinden van een nieuwe baan. De geavanceerde strategieën die ik hier beschrijf, zijn gericht op het vinden van een eerste baan of stageplaats, of een baan bij een ander bedrijf. De tips kunnen echter ook nuttig zijn als je op zoek bent naar een andere functie binnen je eigen bedrijf. Als je op zoek bent naar een andere baan in je eigen organisatie, lees dan ook "9 geavanceerde strategieën om interne of externe expertise te vinden".

Strategie 1: Definieer de baan die je zoekt

Bij het zoeken naar een baan of stageplaats is de eerste stap het stellen van doelen zoals we dat in voorgaande hoofdstukken ook hebben gedaan. Normaal gesproken zal je bij het definiëren van dat doel ook een goede definitie schrijven van de baan of stageplaats waar je naar op zoek bent.

Let daarbij op de volgende zaken: in welke sector ben je geïnteresseerd? En in welke geografische locatie? In welke functies of functietitels ben je geïnteresseerd? Aan welke projecten wil je graag werken? Wat wil je verdienen? Heb je misschien al één of meer namen of specifieke organisaties waarvoor je wilt werken? Welke parameters heb je nog meer? Denk er aan verschillende synoniemen te gebruiken voor de baan of stageplaats waar je naar op zoek bent.

Strategie 2: Nog meer banen vinden

Met de volgende strategieën kan je nog meer banen vinden:

1. **Kijk in de netwerken van je huidige contacten of je recruteerders vindt, of mensen met een functie of rol die je graag zou willen, of die werken voor de organisatie waarvoor je wilt werken.** De kans is groot dat zij geconnecteerd zijn met

collega's in andere afdelingen in hetzelfde land, met zusterbedrijven in andere landen en met hun collega's in andere bedrijven. Lees ook hun Profiles om te zien welke woorden zij gebruiken om hun expertise te omschrijven. Je kunt daarmee nieuwe woorden of synoniemen ontdekken, die je kunt gebruiken voor je zoekopdrachten.

2. **Kijk in de Profiles van mensen die je zouden kunnen helpen bij het vinden van een baan onder 'Viewers of this Profile also viewed'**: op deze manier zou je mensen kunnen vinden die je kunnen helpen. Deze informatie vind je aan de rechterkant van alle Profile-pagina's.

3. **Word lid van de Groups waar de mensen die de functie hebben die je wilt, of die in de sector werken waarin je wilt werken, ook lid van zijn.** Kijk hiervoor in de Profiles van je Connections. De Groups waar iemand lid van is, staan onderaan de pagina. In Groups kan je ook mensen vinden die buiten je netwerk liggen. Een bijkomend voordeel van het lidmaatschap van een Group is namelijk dat je direct contact kunt opnemen met alle andere leden van de Group (veel mensen zetten de mogelijkheid dat mensen buiten hun netwerk direct contact kunnen opnemen uit, maar ze vergeten dat vaak te doen voor de Groups waar ze lid van zijn).

4. **Kijk in 'Companies' in het navigatiemenu bovenaan alle pagina's**. Ook hier kan je extra informatie vinden over de bedrijven waar je graag wilt werken en de mensen die er werken of hebben gewerkt. Nog niet alle bedrijven zijn op dit moment opgenomen in deze directory - tot nu toe alleen de grotere.

5. **Zoek ook de loopbaancoördinator van je universiteit of hogeschool op**: Mary Roll, loopbaancoördinator voor het internationale MBA-programma aan de Vlerick Leuven Gent Management School gaf me de tip dat coördinatoren niet alleen werken voor de huidige studenten, maar ook voor alumni. Loopbaancoördinatoren zijn een zeer waardevolle hulpbron, omdat zij constant in contact staan met diverse bedrijven en organisaties.

Strategie 3: Zoek de mensen die je zouden kunnen helpen op op LinkedIn

Met de informatie uit strategieën 1 en 2 kan je gaan zoeken, zoals beschreven in het vorige hoofdstuk, en de tussenliggende Connections vragen om je via een Magische E-mail in contact te brengen met de personen die je kunnen helpen.

Maar wat moet je doen als het contact eenmaal tot stand is gekomen?

Onthoud dat de kracht van een netwerk in de tweede graad ligt. Het beste wat je kunt doen als je op zoek bent naar een nieuwe baan, is om raad te vragen.

Vraag de mensen met wie je contact opneemt wat zij zouden doen in jouw geval.

Deze benadering heeft een magische werking! Waarom? Omdat mensen heel graag raad geven. Ze staan ook veel sneller voor je open, omdat je niets van hen wilt, behalve advies.

Wat er in de praktijk vaak gebeurt, is dat mensen je ideeën geven waar je zelf nooit aan zou hebben gedacht, en vaak bieden ze ook nog spontaan aan om je bij iemand te introduceren.

Als ze dat doen, vraag hen dan om een Magische E-mail voor je te schrijven.

Strategie 4: Gebruik de LinkedIn Jobs tools

LinkedIn biedt verschillende tools die je kunnen helpen bij het zoeken naar een baan.

Om te beginnen klik je in het navigatiemenu bovenaan alle pagina's op 'Jobs'.

Vervolgens kan je een eenvoudige zoekopdracht uitvoeren (keywords en locatie) of een geavanceerde zoekopdracht.

De kracht van LinkedIn is dat voor elke vacature die op LinkedIn is geplaatst, je direct kunt zien welke connecties je hebt met dat specifieke bedrijf. Deze tool heet de JobInsider.

Wat kan je doen met deze kennis?

- Je kunt je eerstegraads contacten bij dat bedrijf vragen om achtergrondinformatie over het bedrijf.
- Je kunt je eerstegraads contacten bij dat bedrijf vragen wie de mensen zijn die betrokken zijn bij de personeelswerving.
- Je kunt je eerstegraads contacten bij dat bedrijf en bij andere organisaties vragen om een Recommendation te schrijven die gericht is op de functie waarin je bent geïnteresseerd.
- Je kunt je eerstegraads contacten bij dat bedrijf vragen om je te introduceren of aan te bevelen bij de mensen die betrokken zijn bij de personeelswerving. Vraag hen om een Magische E-mail voor je te schrijven. Dit werkt veel beter dan een Connection via LinkedIn.

Als de vacature alleen maar op LinkedIn is geplaatst, dan kan je hierop solliciteren met behulp van het formulier dat LinkedIn hiervoor biedt. Je kunt een begeleidende brief schrijven (verplicht) en je CV uploaden. Je LinkedIn Profile wordt automatisch aan de sollicitatie toegevoegd. Zorg er dus voor dat dat er verzorgd uitziet en up-to-date is!

Strategie 5: Word lid van Groups

Na het maken van een definitie van je ideale baan wordt het veel eenvoudiger om te bepalen van welke 'real life' verenigingen en clubs je lid wilt worden. En ook van welke Groups op LinkedIn.

Naar Groups kan je zoeken in de Groups Directory.

Als je nog steeds niet weet bij welke Groups je je wilt aansluiten of in welke Groups de mensen met dezelfde functie of in dezelfde sector zitten, maak dan gebruik van de intelligentie van LinkedIn: kijk in de Profiles van je huidige Connections met een soortgelijke functie of achtergrond om uit te vinden van welke Groups zij lid zijn. Je zult versteld staan!

Ben je eenmaal lid geworden van een Group, denk er dan aan dat het gaat over het opbouwen van relaties en het vergroten van je eigen zichtbaarheid en credibiliteit. Dit kan je bereiken door bijdragen te leveren aan de Discussions forums. Nogmaals, denk er aan dat de forums plekken zijn om mensen te helpen en ze adviezen te geven, en niet om naar werkaanbiedingen te hengelen. Als je advies en hulp geeft, dan zal je daarmee je 'Know, Like and Trust' factor verhogen.

Strategie 6: Beantwoord vragen in Answers

Een andere manier om je zichtbaarheid en credibiliteit te vergroten is het beantwoorden van vragen in het Answers gedeelte van LinkedIn. Op de eerste plaats kan je hier opvallen door de kwaliteit van je antwoorden.

Als iemand die een vraag heeft gesteld jouw antwoord het beste vindt, kan hij of zij je een Expert Point toekennen. Afhankelijk van de categorie waarin je een vraag hebt beantwoord, kan dat al snel leiden tot extra zichtbaarheid, doordat je hiermee op de Expert List komt te staan.

Een kleine opmerking: op het moment dat ik dit boek schrijf zijn alle categorieën onderwerp gerelateerd. Dat betekent dat er geen onderverdelingen zijn naar bijvoorbeeld een specifieke geografische locatie of een specifieke sector. Het hangt er dus vanaf wie je doelgroep is en hoe actief die op Answers is of dit de moeite waard is of niet.

Strategie 7: Verhoog je aantal Recommendations

Zoals ik al heb geschreven in Fundamenteel Principe nummer 5 van het netwerken: mensen doen zaken met en verwijzen zaken door naar mensen die ze kennen, mogen en vertrouwen.

Wat het interessante aan vertrouwen is, is dat dit kan worden doorgegeven. Of tenminste een deel daarvan. Als je op zoek bent naar een loodgieter en een goede vriend van je beveelt er één aan, vertrouw je die loodgieter dan niet beter dan voorheen?

LinkedIn helpt je ook hierbij: mensen kunnen op LinkedIn Recommendations voor elkaar schrijven. We hebben het echter allemaal zo druk, dat we er niet aan denken om dit spontaan te doen.

Hoe kan je dan meer Recommendations krijgen? Dit zijn twee mogelijke strategieën:

1. **Vraag je huidige en oud-collega's, (oud)klasgenoten en voormalige werkgevers om een Recommendation**. Je kunt hiervoor de tools gebruiken die LinkedIn biedt, maar ik raad je aan om hier nog één of andere vorm van communicatie aan toe te voegen. Je kunt tijdens een persoonlijk gesprek of tijdens een telefoongesprek het onderwerp Recommendations op LinkedIn ter sprake brengen en je gesprekspartner vragen een kleine Recommendation voor je te schrijven. Doe het vooral op deze manier als je mensen met wie je in het verleden hebt gewerkt om een Recommendation vraagt: voormalige collega's, bazen en stagebegeleiders. Vraag je collega's, dan kan je het ook per e-mail doen.
   Via LinkedIn kan je dan een herinnering sturen, waarin je terugverwijst naar het gevoerde gesprek. Je kunt op LinkedIn een Recommendation aanvragen via "Profile", dan "Recommendations" en tenslotte "Request Recommendation". Gebruik ook hier niet het standaard bericht, maar maak het persoonlijk en verwijs in het bericht naar jullie gesprek. Het kost je iets meer tijd als je het op deze manier doet, in plaats van met het standaardbericht van LinkedIn, maar de resultaten zullen dan ook veel beter zijn. Bedenk ook dat als je alleen het standaardbericht van LinkedIn gebruikt om een Recommendation te vragen, zonder enige andere vorm van communicatie, dit onprettig kan overkomen bij de mensen van wie je graag wilt dat ze je een Recommendation geven. Je zult dan het tegenovergestelde resultaat krijgen van wat je wilde: je hebt de relaties met je voormalige collega's en bazen meer geschaad dan dat je aantrekkelijkheid voor potentiële werkgevers is toegenomen.

2. **Schrijf eerst zelf een Recommendation voor iemand anders**. Het standaard bericht dat LinkedIn iemand laat zien die net een Recommendation heeft ontvangen (en dit kan niet worden veranderd) is een uitnodiging om een Recommendation terug te schrijven. Veel mensen doen dit ook. Als je deze strategie volgt, wees dan wel eerlijk en begin niet met het extreem loven van mensen die je maar eenmaal hebt ontmoet. Je kansen om een Recommendation terug te krijgen nemen daardoor juist af. En als iemand je ooit eens vraagt naar de persoon voor wie je een Recommendation hebt geschreven, zal je ook nog moeten toegeven dat je die persoon helemaal niet zo goed kent. En dat kan je geloofwaardigheid aantasten.

Opmerkingen:

- Als je niet helemaal gelukkig bent met een Recommendation, omdat die niet accuraat is, of te vaag, dan kan je de schrijver ervan vragen om de Recommendation aan te passen. Als je er daarna nog niet gelukkig mee bent, dan kan je er altijd nog voor kiezen om de Recommendation niet op je Profile te tonen.
- Soms zullen je Connections je antwoorden dat ze niet weten wat ze moeten schrijven. Je kunt dan voorstellen om zelf een eerste versie te schrijven die ze als basis kunnen gebruiken. Als je eerlijk bent en niet overdrijft, zullen ze heel waarschijnlijk jouw versie gebruiken voor de Recommendation, zonder daar iets aan te veranderen.

Strategie 8: Gebruik de 'Status Update' functie

Met de 'Status Update' functie kan je mensen laten weten wat je op dit moment aan het doen bent. Je hebt hiervoor 100 tekens tot je beschikking.

Hoe kan dit je helpen? Als je op zoek bent naar een bepaalde persoon of functie die je zou kunnen helpen, maar die je niet kunt vinden op LinkedIn, dan kan je dit hier melden. Dit bericht wordt getoond aan het grootste deel van de mensen in je netwerk. Zij kennen misschien iemand die nog niet op LinkedIn zit of iemand met een Profile dat buiten je zoektermen viel.

Je kunt zelf kiezen wie deze 'Status Update' kan zien: alleen je directe Connecties, de drie graden van je netwerk, of iedereen. Afhankelijk van wat je hebt opgeschreven en van wie er allemaal in je netwerk zitten, kan het interessant zijn om elke keer als je je status verandert, deze instelling ook te veranderen.

Verwacht hier niet al te veel van, want niet iedereen leest deze 'Status Updates' of reageert erop. Aan de andere kant kost het je maar een paar seconden van je tijd en je weet maar nooit wie je zou kunnen helpen.

Waar vind je dit? Klik in het linker navigatiemenu op 'Profile'. In het witte vakje onder je foto kan je vervolgens je status updaten.

Opmerking: als je ook een account hebt op websites als Plaxo, Facebook, MySpace of Twitter, zijn er nu tools beschikbaar waarmee je je status kunt updaten voor alle websites tegelijkertijd. Zie het hoofdstuk 'Gratis tools die je tijd besparen als je met LinkedIn werkt'.

Strategie 9: Gebruik de JobInsider tool van de LinkedIn Browser Toolbar

Download de gratis LinkedIn Browser Toolbar voor Internet Explorer of Firefox, die je op alle pagina's onder 'Tools' kunt vinden (klik je op de tool 'JobInsider' dan komt je bij dezelfde Browser Toolbar uit).

Na het installeren van de Toolbar heb je de volgende tools tot je beschikking in je browser:

- **Search bar**: zoeken in LinkedIn vanuit de toolbar (zodat je niet eerst naar de website hoeft te gaan).
- **Bookmarks**: Profiles op LinkedIn die je als favoriet hebt opgeslagen, kan je van hieruit beheren.
- **JobInsider**: opent een nieuw frame in je browser. Bij het zoeken naar vacatures in je gewone browservenster kan je dit frame gebruiken om te bekijken hoe je connecties zijn met de mensen in het betreffende bedrijf of organisatie. Dit is dezelfde functie als besproken in Strategie 4 (en levert dezelfde gegevens op), maar het gebruik is hier anders. In Strategie 4 is deze functie ingebed in je LinkedIn Search, maar hier heb je een extra venster in je browser, dat helemaal apart staat van de acties die je onderneemt in LinkedIn, en dat je ook kunt gebruiken terwijl je naar andere websites dan LinkedIn surft.

Zoals je ziet, wordt het met de JobInsider tool een stuk gemakkelijker om de mensen te vinden die je kunnen helpen.

Strategie 10: Houd de Network Updates in de gaten

De Network Updates op je LinkedIn Home Page kunnen je interessante informatie bieden.

Bijvoorbeeld als er een nieuwe recruiter komt werken bij het bedrijf waarin je bent geïnteresseerd, of als iemand die jou in het verleden heeft aangenomen van bedrijf verandert.

Het is ook interessant om in de gaten te houden wie zich allemaal aansluiten bij de Groups waar je lid van bent. Zo'n persoon kan nieuw zijn op LinkedIn en niet in je netwerk zitten. Via je eigen netwerk kan je dus geen contact met die persoon leggen, maar wel via de Group.

Kijk wie er allemaal vragen stellen, en wie ze beantwoorden. Je kunt hiermee informatie krijgen over specifieke situaties bij bedrijven waarvoor je wilt werken of over algemene tendenzen in de markt.

Het kan ook interessant zijn om te kijken wie er met wie connecteert. Als je ziet dat een recruiter of iemand anders van het bedrijf waarvoor je wilt werken en een persoon uit je eerste graads netwerk met elkaar connecteren, dan kan je je contact vragen je te introduceren (of zelfs aan te bevelen) bij deze recruiter.

Strategie 11: Connecteer met andere banenzoekers

Als je deel uitmaakt van een programma om een baan te vinden samen met andere mensen die ook op zoek zijn naar een nieuwe baan, dan is het aan te raden om met elkaar te connecteren op LinkedIn. Op deze manier groeit je netwerk en kan je nieuwe kansen krijgen.

Als je nog studeert, zou je kunnen denken dat je maar een beperkt netwerk hebt. Maar als je begint met de volgende mensen, heb je al een goede basis om mee te beginnen: medestudenten, ouders, familieleden, vrienden, buren, mensen van de sport- of hobbyclub, professoren, (gast)docenten, vertegenwoordigers van bedrijven op jobbeurzen, bedrijfsbezoeken en conferenties, stagecontacten, loopbaancoördinatoren van de opleiding die je volgt of gevolgd hebt en mensen die je kent van social networking websites zoals Facebook, Hyves of MySpace.

Denk er ook aan om elkaar via e-mail of wanneer je hen ontmoet te vertellen naar wat voor baan je op zoek bent. Zij kunnen jouw ambassadeurs zijn en jij de hunne.

Strategie 12: Creëer alerts

LinkedIn biedt je de mogelijkheid om je zoekopdrachten op te slaan en deze automatisch te laten lopen. Met een gratis account kan je 3 zoekopdrachten opslaan. Deze kan je handmatig uitvoeren, maar je kunt ze ook automatisch laten lopen, bijvoorbeeld elke week of maand.

Waarom kan dit nuttig voor je zijn? Nadat je een definitie van een recruiter of HR-verantwoordelijke hebt gemaakt en hebt geëxperimenteerd met de zoekfunctie om hen te vinden, kan je die zoekopdracht(en) opslaan en automatisch laten lopen. Elke week of elke maand zal LinkedIn je dan een e-mail sturen met de nieuwe mensen die aan de zoekcriteria van de opgeslagen zoekopdrachten voldoen.

10 Geavanceerde strategieën om een nieuwe leverancier of partner te vinden

Je netwerk is je krachtigste en goedkoopste hulpmiddel bij het vinden van nieuwe leveranciers of partners. Laten we eens kijken naar enkele geavanceerde strategieën die gebruik maken van de kracht van je netwerk om die te vinden en er contact mee te leggen.

Strategie 1: Definieer de nieuwe leverancier/partner

Bij het zoeken naar een nieuwe leverancier of partner is de eerste stap het stellen van doelen zoals we dat in voorgaande hoofdstukken ook hebben gedaan. Normaal gesproken zal je bij het definiëren van dat doel ook een goede definitie maken van de leveranciers of partners waar je naar op zoek bent.

Let daarbij op de volgende zaken: in welke sector zitten ze? Op welke geografische locatie dienen ze zich te bevinden? Welke functie of functietitel moeten ze hebben? Denk daarbij aan huidige en vroegere functies. Welke andere parameters heb je nog meer? Denk er aan verschillende synoniemen te gebruiken voor de functie of expertise waar je naar op zoek bent.

Misschien heb je al namen van specifieke mensen of bedrijven op je lijst staan. Dat is alvast goede informatie waarmee je de juiste mensen kunt vinden.

Strategie 2: Nog meer leveranciers/partners vinden

Met de volgende strategieën kan je nog meer leveranciers/partners vinden:

1. **Kijk in de netwerken van je huidige contacten met een gelijkaardige functie of rol**. De kans is groot dat zij geconnecteerd zijn met collega's in andere afdelingen in hetzelfde land, met zusterbedrijven in andere landen en met hun collega's in andere bedrijven. Lees ook hun Profiles om te zien welke woorden zij gebruiken om hun expertise te omschrijven. Je kunt daarmee nieuwe woorden of synoniemen ontdekken, die je kunt gebruiken voor je zoekopdrachten.
2. **Kijk in de Profiles van je contacten met een gelijkaardige functie of rol bij 'Viewers of this Profile also viewed'**: ook op deze manier kan je andere potentiële leveranciers of partners vinden. Deze informatie vind je aan de rechterkant van alle Profile-pagina's.
3. **Word lid van de Groups waar je huidige en/of potentiële leveranciers of partners ook lid van zijn.** Kijk hiervoor in de Profiles van je Connections. De Groups waar iemand lid van is, staan onderaan de pagina. In Groups kan je ook mensen vinden die buiten je netwerk liggen. Een bijkomend voordeel van het lidmaatschap van een Group is namelijk dat je direct contact kunt opnemen met alle andere leden van de Group (veel mensen zetten de mogelijkheid dat mensen buiten hun netwerk direct contact kunnen opnemen uit, maar ze vergeten dat vaak te doen voor de Groups waar ze lid van zijn).
4. **Kijk in 'Companies' in het navigatiemenu bovenaan alle pagina's**. Ook hier kan je extra informatie vinden om zo mogelijke leverancier of partners te ontdekken. Nog niet alle bedrijven zijn op dit moment opgenomen in deze directory - tot nu toe alleen de grotere.

Strategie 3: Zoek je potentiële leveranciers/partners op op LinkedIn

Met de informatie uit strategieën 1 en 2 kan je gaan zoeken, zoals beschreven in het vorige hoofdstuk, en de tussenliggende Connections vragen om je via een Magische E-mail in contact te brengen met je potentiële leverancier of partner.

Maar wat moet je doen als het contact eenmaal tot stand is gekomen?

Onthoud dat de kracht van een netwerk in de tweede graad ligt. Richt je aandacht dus niet alleen op de persoon die je gevonden hebt, maar vraag ook om introducties bij anderen.

Strategie 4: Word lid van Groups

Na het maken van een definitie van je potentiële leveranciers of partners wordt het veel eenvoudiger om te bepalen van welke "real life" verenigingen en clubs je lid wilt worden. En ook van welke Groups op LinkedIn.

Naar Groups kan je zoeken in de Groups Directory.

Als je nog steeds niet weet bij welke Groups je je wilt aansluiten of in welke Groups je leveranciers of partners zitten, maak dan gebruik van de intelligentie van LinkedIn: kijk in de Profiles van je huidige leveranciers/partners om uit te vinden van welke Groups zij lid zijn. Je zult versteld staan!

Ben je eenmaal lid geworden van een Group, denk er dan aan dat het gaat over het opbouwen van relaties en het vergroten van je eigen zichtbaarheid en credibiliteit. Dit kan je bereiken door bijdragen te leveren aan de Discussions forums. Nogmaals, denk er aan dat de forums plekken zijn om mensen te helpen en ze adviezen te geven. Als je advies en hulp geeft, dan zal je daarmee je 'Know, Like and Trust' factor verhogen.

Andere interessante Groups om lid van te worden zijn Groups van andere aankopers of mensen met dezelfde functie in je regio. Niet alleen kan je hier van elkaar leren, maar je kunt hier ook relaties opbouwen met die mensen, door bijdragen te leveren in Discussions. Vervolgens kan het gebeuren dat iemand je (spontaan) in contact brengt met de voor jou interessante leveranciers of partners.

Strategie 5: Beantwoord vragen in Answers

Een andere manier om je zichtbaarheid en credibiliteit te vergroten is het beantwoorden van vragen in het Answers gedeelte van LinkedIn. Op de eerste plaats kan je hier opvallen door de kwaliteit van je antwoorden.

Als iemand die een vraag heeft gesteld jouw antwoord het beste vindt, kan hij of zij je een Expert Point toekennen. Afhankelijk van de categorie waarin je een vraag hebt beantwoord, kan dat al snel leiden tot extra zichtbaarheid, doordat je hiermee op de Expert List komt te staan.

Een kleine opmerking: op het moment dat ik dit boek schrijf zijn alle categorieën onderwerp gerelateerd. Dat betekent dat er geen onderverdelingen zijn naar bijvoorbeeld een specifieke geografische locatie of een specifieke sector. Het hangt er dus vanaf wie je doelgroep is en hoe actief die op Answers is of dit de moeite waard is of niet.

Strategie 6: Verhoog je aantal Recommendations

Zoals ik al heb geschreven in Fundamenteel Principe nummer 5 van het netwerken: mensen doen zaken met en verwijzen zaken door naar mensen die ze kennen, mogen en vertrouwen.

Wat het interessante aan vertrouwen is, is dat dit kan worden doorgegeven. Of tenminste een deel daarvan. Als je op zoek bent naar een loodgieter en een goede vriend van je beveelt er één aan, vertrouw je die loodgieter dan niet beter dan voorheen?

LinkedIn helpt je ook hierbij: mensen kunnen op LinkedIn Recommendations voor elkaar schrijven. We hebben het echter allemaal zo druk, dat we er niet aan denken om dit spontaan te doen.

Hoe kan je dan meer Recommendations krijgen? Dit zijn twee mogelijke strategieën:

1. **Vraag je huidige collega's en mensen met wie je in het verleden hebt gewerkt om een Recommendation**. Je kunt hiervoor de tools gebruiken die LinkedIn biedt, maar ik raad je aan om hier nog één of andere vorm van communicatie aan toe te voegen. Je kunt tijdens een persoonlijk gesprek of tijdens een telefoongesprek het onderwerp Recommendations op LinkedIn ter sprake brengen en je gesprekspartner vragen een kleine Recommendation voor je te schrijven. Doe het vooral op deze manier als je mensen met wie je in het verleden hebt gewerkt om een Recommendation vraagt. Vraag je het aan collega's, dan kan je het ook per e-mail doen.
   Via LinkedIn kan je dan een herinnering sturen, waarin je terugverwijst naar het gevoerde gesprek. Je kunt op LinkedIn een Recommendation aanvragen via 'Profile', dan 'Recommendations' en tenslotte 'Request Recommendation'. Gebruik ook hier niet het standaard bericht, maar maak het persoonlijk en verwijs in het bericht naar jullie gesprek. Het kost je iets meer tijd als je het op deze manier doet, in plaats van met het standaardbericht van LinkedIn, maar de resultaten zullen dan ook veel beter zijn. Bedenk ook dat als je alleen het standaardbericht van LinkedIn gebruikt om een Recommendation te vragen, zonder enige andere vorm van communicatie, dit onprettig kan overkomen bij de mensen van wie je graag wilt dat ze je een Recommendation geven. Je zult dan het tegenovergestelde resultaat krijgen van wat je wilde: je hebt de relaties met je huidige contacten en collega's meer geschaad dan

dat je aantrekkelijkheid voor potentiële leveranciers of partners is toegenomen.

2. **Schrijf eerst zelf een Recommendation voor iemand anders**. Het standaard bericht dat LinkedIn iemand laat zien die net een Recommendation heeft ontvangen (en dit kan niet worden veranderd) is een uitnodiging om een Recommendation terug te schrijven. Veel mensen doen dit ook. Als je deze strategie volgt, wees dan wel eerlijk en begin niet met het extreem loven van mensen die je maar eenmaal hebt ontmoet. Je kansen om een Recommendation terug te krijgen nemen daardoor juist af. En als iemand je ooit eens vraagt naar de persoon voor wie je een Recommendation hebt geschreven, zal je ook nog moeten toegeven dat je die persoon helemaal niet zo goed kent. En dat kan je geloofwaardigheid aantasten.

Opmerkingen:

- Als je niet helemaal gelukkig bent met een Recommendation, omdat die niet accuraat is, of te vaag, dan kan je de schrijver ervan vragen om de Recommendation aan te passen. Als je er daarna nog niet gelukkig mee bent, dan kan je er altijd nog voor kiezen om de Recommendation niet op je Profile te tonen.
- Soms zullen je Connections je antwoorden dat ze niet weten wat ze moeten schrijven. Je kunt dan voorstellen om zelf een eerste versie te schrijven die ze als basis kunnen gebruiken. Als je eerlijk bent en niet overdrijft, zullen ze heel waarschijnlijk jouw versie gebruiken voor de Recommendation, zonder daar iets aan te veranderen.

Strategie 7: Gebruik de 'Status Update' functie

Met de 'Status Update' functie kan je mensen laten weten wat je op dit moment aan het doen bent. Je hebt hiervoor 100 tekens tot je beschikking.

Hoe kan dit je helpen? Als je op zoek bent naar een bepaalde persoon of functie die je niet kunt vinden op LinkedIn, dan kan je dit hier melden. Dit bericht wordt getoond aan het grootste deel van de mensen in je netwerk. Zij kennen misschien iemand die nog niet op LinkedIn zit of iemand met een Profile dat buiten je zoektermen viel.

Je kunt zelf kiezen wie deze 'Status Update' kan zien: alleen je directe Connecties, de drie graden van je netwerk, of iedereen. Afhankelijk van wat je hebt opgeschreven en van wie er allemaal in je netwerk zitten, kan het interessant zijn om elke keer als je je status verandert, deze instelling ook te veranderen.

Verwacht hier niet al te veel van, want niet iedereen leest deze 'Status Updates' of reageert erop. Aan de andere kant kost het je maar een paar seconden van je tijd en je weet maar nooit wie je zou kunnen helpen.

Waar vind je dit? Klik in het linker navigatiemenu op 'Profile'. In het witte vakje onder je foto kan je vervolgens je status updaten.

Opmerking: als je ook een account hebt op websites als Plaxo, Facebook, MySpace of Twitter, zijn er nu tools beschikbaar waarmee je je status kunt updaten voor alle websites tegelijkertijd. Zie het hoofdstuk 'Gratis tools die je tijd besparen als je met LinkedIn werkt'.

Strategie 8: Houd de Network Updates in de gaten

De Network Updates op je LinkedIn Home Page kunnen je interessante informatie bieden.

Bijvoorbeeld als er iemand bij je huidige leverancier of partner van functie verandert of naar een ander land verhuist. Je kunt dan actie ondernemen om te kijken of je met het nieuwe bedrijf van je contact kunt werken en of je geïntroduceerd kunt worden bij de vervangende persoon.

Het is ook interessant om in de gaten te houden wie zich allemaal aansluiten bij de Groups waar je lid van bent. Zo'n persoon kan nieuw zijn op LinkedIn en niet in je netwerk zitten. Via je eigen netwerk kan je dus geen contact met die persoon leggen, maar wel via de Group.

Kijk wie er allemaal vragen stellen, en wie ze beantwoorden. Je kunt hiermee informatie krijgen over specifieke situaties bij bepaalde organisaties, of algemene tendenzen in de markt.

Het kan ook interessant zijn om te kijken wie er met wie connecteert.
Als je ziet dat een eerste graads contact connecteert met een potentiële leverancier of partner, dan kan je je contact vragen je te introduceren (of zelfs aan te bevelen) bij deze potentiële leverancier/partner.

Strategie 9: Reference Search

Als je een potentiële leverancier/partner hebt gevonden, kan je op LinkedIn ook een Reference Search doen (alleen met een Business of Pro account).

Klik op 'People' en vervolgens op het tabblad 'Reference Search'.

Vervolgens kan je de naam van een bedrijf invullen en een tijdsperiode (tussen jaar x en jaar y). LinkedIn geeft je dan een lijst van alle mensen die gedurende die tijd voor dat bedrijf hebben gewerkt.

Je kunt dan met enkele van die mensen contact opnemen om meer uit te vinden over je potentiële leverancier of partner.

Strategie 10: Gebruik LinkedIn als generator van potentiële leveranciers/partners door alerts te creëren

LinkedIn biedt je de mogelijkheid om je zoekopdrachten op te slaan en deze automatisch te laten lopen. Met een gratis account kan je 3 zoekopdrachten opslaan. Deze kan je handmatig uitvoeren, maar je kunt ze ook automatisch laten lopen, bijvoorbeeld elke week of maand.

Waarom kan dit nuttig voor je zijn? Nadat je een definitie van je leverancier/partner hebt gemaakt en hebt geëxperimenteerd met de zoekfunctie om hen te vinden, kan je die zoekopdracht(en) opslaan en automatisch laten lopen. Elke week of elke maand zal LinkedIn je dan een e-mail sturen met de nieuwe mensen die aan de zoekcriteria van de opgeslagen zoekopdrachten voldoen.

9 Geavanceerde strategieën om interne of externe expertise te vinden

Iedereen werkt tegenwoordig aan projecten. Sommige daarvan zijn redelijk eenvoudig, maar voor andere projecten hebben we het advies en de expertise van anderen nodig. Of anders gezegd: als we toegang hadden tot dat advies en die expertise, dan zouden we betere resultaten behalen in kortere tijd. Soms hebben we ook meer nodig dan advies, namelijk mensen: om te werken aan een project. De vraag is echter vaak: waar en hoe vind ik de juiste expertise en de juiste mensen? We weten dat ze ergens zijn, en misschien zelfs binnen ons netwerk, maar hoe kunnen we ze vinden?

Vanuit organisatorisch oogpunt is het gebruik maken van de kennis van je netwerk een heel goede remedie tegen hoge kosten als gevolg van het steeds weer opnieuw uitvinden van het wiel.

LinkedIn kan hier een groot deel van de oplossing bieden en ons helpen bij het vinden van zowel interne als externe expertise. Waarom?

- LinkedIn heeft veel uitgebreidere profielen van mensen dan de meeste interne “bedrijfs-smoelenboeken” en andere databases (die zich soms ook nog tot één enkel land beperken). Het is op LinkedIn dus veel gemakkelijker om iemand te vinden en meteen te zien of dit de persoon is die je nodig hebt.

- LinkedIn toont ook de Profiles van de mensen in andere grote organisaties en van freelance experts. Zonder LinkedIn zouden die veel moeilijker te vinden zijn.

- LinkedIn laat de connecties tussen mensen zien en ook de Recommendations die mensen hebben ontvangen. Ook dit helpt ons om sneller een besluit te nemen met wie we contact zullen opnemen.

Nu we de waarde van LinkedIn kennen bij het vinden van interne en externe expertise, kunnen we eens gaan kijken naar enkele geavanceerde strategieën voor het vinden van de experts.

Strategie 1: Definieer het profiel van de expert

Bij het zoeken naar een interne of externe expert is de eerste stap het stellen van doelen zoals we dat in voorgaande hoofdstukken ook hebben gedaan. Normaal gesproken zal je bij het definiëren van dat doel ook een goede definitie maken van de interne of externe experts waar je naar op zoek bent.

Let daarbij op de volgende zaken: in welke sector zitten ze? Op welke geografische locatie bevinden ze zich? Welke functie of functietitel moeten ze hebben? Denk daarbij aan huidige en vroegere functies. Aan welke projecten hebben ze in het verleden meegewerkt? Bij welke afdelingen? Welke andere parameters heb je nog meer? Denk er aan verschillende synoniemen te gebruiken voor de functie of expertise waar je naar op zoek bent.

Misschien heb je al namen van specifieke mensen op je lijst staan. Dat is alvast goede informatie waarmee je de juiste mensen kunt vinden.

Strategie 2: Nog meer experts vinden

Met de volgende strategieën kan je nog meer experts vinden:

1. **Kijk in de netwerken van de experts die je al kent**. De kans is groot dat zij geconnecteerd zijn met collega's in andere afdelingen in hetzelfde land, met zusterbedrijven in andere landen en met hun collega's in andere bedrijven.
2. **Kijk in de Profiles van experts bij 'Viewers of this Profile also viewed'**: ook op deze manier kan je andere experts vinden. Deze informatie vind je aan de rechterkant van alle Profile-pagina's.
3. **Word lid van de Groups waar de experts ook lid van zijn.** Kijk hiervoor in de Profiles van je Connections. De Groups waar iemand lid van is, staan onderaan de pagina. In Groups kan je ook mensen vinden die buiten je netwerk liggen. Een bijkomend voordeel van het lidmaatschap van een Group is namelijk dat je direct contact kunt opnemen met alle andere leden van de Group (veel mensen zetten de mogelijkheid dat mensen buiten hun netwerk direct contact kunnen opnemen uit, maar ze vergeten dat vaak te doen voor de Groups waar ze lid van zijn).
4. **Kijk in 'Companies' in het navigatiemenu bovenaan alle pagina's**. Ook hier kan je extra informatie vinden over de organisaties waar experts voor werken of hebben gewerkt. Nog niet alle bedrijven zijn op dit moment opgenomen in deze directory - tot nu toe alleen de grotere. Je zult hiermee ook de divisies van een bedrijf kunnen ontdekken. In deze snelveranderende wereld weten we niet altijd meer welk bedrijf welk (deel van een) ander bedrijf heeft gekocht.

Strategie 3: Zoek de experts op op LinkedIn

Met de informatie uit strategieën 1 en 2 kan je gaan zoeken, zoals beschreven in het vorige hoofdstuk, en de tussenliggende Connections vragen om je via een Magische E-mail in contact te brengen met de expert.

Maar wat moet je doen als het contact eenmaal tot stand is gekomen?

Onthoud dat de kracht van een netwerk in de tweede graad ligt. Richt je aandacht dus niet alleen op de persoon die je gevonden hebt, maar vraag ook om introducties bij anderen.

Strategie 4: Word lid van Groups

Na het maken van een definitie van de experts die je zoekt, wordt het veel eenvoudiger om te bepalen van welke 'real life' verenigingen en clubs je lid wilt worden. En ook van welke Groups op LinkedIn.

Naar Groups kan je zoeken in de Groups Directory.

Als je nog steeds niet weet bij welke Groups je je wilt aansluiten of in welke Groups de experts zitten, maak dan gebruik van de intelligentie van LinkedIn: kijk in de Profiles van de experts in je netwerk van welke Groups zij lid zijn. Je zult versteld staan!

Ben je eenmaal lid geworden van een Group, denk er dan aan dat het gaat over het opbouwen van relaties en het vergroten van je eigen zichtbaarheid en credibiliteit. Dit kan je bereiken door bijdragen te leveren aan de Discussions forums. Nogmaals, denk er aan dat de forums plekken zijn om mensen te helpen en ze adviezen te geven. Als je advies en hulp geeft, dan zal je daarmee je 'Know, Like and Trust' factor verhogen.

Andere interessante Groups om lid van te worden zijn Groups van mensen met dezelfde functie als jij. Niet alleen kan je hier van elkaar leren, maar ze kunnen je misschien ook in contact brengen met de experts waar je naar op zoek bent.

Strategie 5: Beantwoord vragen in Answers

Een andere manier om je zichtbaarheid en credibiliteit te vergroten is het beantwoorden van vragen in het Answers gedeelte van LinkedIn. Op de eerste plaats kan je hier opvallen door de kwaliteit van je antwoorden.

Als iemand die een vraag heeft gesteld jouw antwoord het beste vindt, kan hij of zij je een Expert Point toekennen. Afhankelijk van de categorie waarin je een vraag hebt beantwoord, kan dat al snel leiden tot extra zichtbaarheid, doordat je hiermee op de Expert List komt te staan.

Een kleine opmerking: op het moment dat ik dit boek schrijf zijn alle categorieën onderwerp gerelateerd. Dat betekent dat er geen onderverdelingen zijn naar bijvoorbeeld een specifieke geografische locatie of een specifieke sector. Het hangt er dus vanaf wie je doelgroep is en hoe actief die op Answers is of dit de moeite waard is of niet.

Strategie 6: Verhoog je aantal Recommendations

Zoals ik al heb geschreven in Fundamenteel Principe nummer 5 van het netwerken: mensen doen zaken met en verwijzen zaken door naar mensen die ze kennen, mogen en vertrouwen.

Wat het interessante aan vertrouwen is, is dat dit kan worden doorgegeven. Of tenminste een deel daarvan. Als je op zoek bent naar een loodgieter en een goede vriend van je beveelt er één aan, vertrouw je die loodgieter dan niet beter dan voorheen?

LinkedIn helpt je ook hierbij: mensen kunnen op LinkedIn Recommendations voor elkaar schrijven. We hebben het echter allemaal zo druk, dat we er niet aan denken om dit spontaan te doen.

Hoe kan je dan meer Recommendations krijgen? Dit zijn twee mogelijke strategieën:

1. **Vraag je huidige collega's en mensen met wie je hebt samengewerkt om een Recommendation**. Je kunt hiervoor de tools gebruiken die LinkedIn biedt, maar ik raad je aan om hier nog één of andere vorm van communicatie aan toe te voegen. Je kunt tijdens een persoonlijk gesprek of tijdens een telefoongesprek het onderwerp Recommendations op LinkedIn ter sprake brengen en je gesprekspartner vragen een kleine Recommendation voor je te schrijven. Doe het vooral op deze manier als je mensen met wie je in het verleden hebt samengewerkt om een Recommendation vraagt. Vraag je het aan collega's, dan kan je het ook per e-mail doen. Via LinkedIn kan je dan een herinnering sturen, waarin je terugverwijst naar het gevoerde gesprek. Je kunt op LinkedIn een Recommendation aanvragen via 'Profile', dan 'Recommendations' en tenslotte 'Request Recommendation'. Gebruik ook hier niet het standaard bericht, maar maak het persoonlijk en verwijs in het bericht naar jullie gesprek. Het kost je iets meer tijd als je het op deze manier doet, in plaats van met het standaardbericht van LinkedIn, maar de resultaten zullen dan ook veel beter zijn. Bedenk ook dat als je alleen het standaardbericht van LinkedIn gebruikt om een Recommendation te vragen, zonder enige andere vorm van communicatie, dit onprettig kan overkomen bij de mensen van wie je graag wilt dat ze je een Recommendation geven. Je zult dan het tegenovergestelde resultaat krijgen van wat je wilde: je hebt de relaties met je huidige contacten en collega's meer geschaad dan dat je aantrekkelijkheid voor potentiële nieuwe contacten is toegenomen.

2. **Schrijf eerst zelf een Recommendation voor iemand anders.** Het standaard bericht dat LinkedIn iemand laat zien die net een Recommendation heeft ontvangen (en dit kan niet worden veranderd) is een uitnodiging om een Recommendation terug te schrijven. Veel mensen doen dit ook. Als je deze strategie volgt, wees dan wel eerlijk en begin niet met het extreem loven van mensen die je maar eenmaal hebt ontmoet. Je kansen om een Recommendation terug te krijgen nemen daardoor juist af. En als iemand je ooit eens vraagt naar de persoon voor wie je een Recommendation hebt geschreven, zal je ook nog moeten toegeven dat je die persoon helemaal niet zo goed kent. En dat kan je geloofwaardigheid aantasten.

Opmerkingen:

- Als je niet helemaal gelukkig bent met een Recommendation, omdat die niet accuraat is, of te vaag, dan kan je de schrijver ervan vragen om de Recommendation aan te passen. Als je er daarna nog niet gelukkig mee bent, dan kan je er altijd nog voor kiezen om de Recommendation niet op je Profile te tonen.
- Soms zullen je Connections je antwoorden dat ze niet weten wat ze moeten schrijven. Je kunt dan voorstellen om zelf een eerste versie te schrijven die ze als basis kunnen gebruiken. Als je eerlijk bent en niet overdrijft, zullen ze heel waarschijnlijk jouw versie gebruiken voor de Recommendation, zonder daar iets aan te veranderen.

Strategie 7: Gebruik de 'Status Update' functie

Met de 'Status Update' functie kan je mensen laten weten wat je op dit moment aan het doen bent. Je hebt hiervoor 100 tekens tot je beschikking.

Hoe kan dit je helpen? Als je op zoek bent naar een bepaalde persoon, functie of expertise die je niet kunt vinden op LinkedIn, dan kan je dit hier melden. Dit bericht wordt getoond aan het grootste deel van de mensen in je netwerk. Zij kennen misschien iemand die nog niet op LinkedIn zit of iemand met een Profile dat buiten je zoektermen viel.

Je kunt zelf kiezen wie deze 'Status Update' kan zien: alleen je directe Connecties, de drie graden van je netwerk, of iedereen. Afhankelijk van wat je hebt opgeschreven en van wie er allemaal in je netwerk zitten, kan het interessant zijn om elke keer als je je status verandert, deze instelling ook te veranderen.

Verwacht hier niet al te veel van, want niet iedereen leest deze 'Status Updates' of reageert erop. Aan de andere kant kost het je maar een paar seconden van je tijd en je weet maar nooit wie je zou kunnen helpen.

Waar vind je dit? Klik in het linker navigatiemenu op 'Profile'. In het witte vakje onder je foto kan je vervolgens je status updaten.

Opmerking: als je ook een account hebt op websites als Plaxo, Facebook, MySpace of Twitter, zijn er nu tools beschikbaar waarmee je je status kunt updaten voor alle websites tegelijkertijd. Zie het hoofdstuk 'Gratis tools die je tijd besparen als je met LinkedIn werkt'.

Strategie 8: Houd de Network Updates in de gaten

De Network Updates op je LinkedIn Home Page kunnen je interessante informatie bieden.

Bijvoorbeeld als er iemand van functie of bedrijf verandert of zijn of haar Profile bijwerkt. Zo iemand zou dan, bijvoorbeeld door het volgen van een cursus of het voltooien van een project, plotseling de expertise kunnen hebben waar je naar op zoek bent.

Het is ook interessant om in de gaten te houden wie zich allemaal aansluiten bij de Groups waar je lid van bent. Zo'n persoon kan nieuw zijn op LinkedIn en niet in je netwerk zitten. Via je eigen netwerk kan je dus geen contact met die persoon leggen, maar wel via de Group.

Kijk wie er allemaal vragen stellen, en wie ze beantwoorden. Je kunt hiermee informatie krijgen over specifieke situaties bij bepaalde organisaties, of algemene tendenzen in de markt.

Het kan ook interessant zijn om te kijken wie er met wie een Connection aangaat. Als je ziet dat een expert die je niet kon bereiken en een goed zakelijk contact met elkaar connecteren, dan kan je je contact vragen je te introduceren (of zelfs aan te bevelen) bij deze expert.

Strategie 9: Creëer alerts

LinkedIn biedt je de mogelijkheid om je zoekopdrachten op te slaan en deze automatisch te laten lopen. Met een gratis account kan je 3 zoekopdrachten opslaan. Deze kan je handmatig uitvoeren, maar je kunt ze ook automatisch laten lopen, bijvoorbeeld elke week of maand.

Waarom kan dit nuttig voor je zijn? Nadat je een definitie van de expert(s) hebt gemaakt en hebt geëxperimenteerd met de zoekfunctie om hen te vinden, kan je die zoekopdracht(en) opslaan en automatisch laten lopen. Elke week of elke maand zal LinkedIn je dan een e-mail sturen met de nieuwe mensen die aan de zoekcriteria van de opgeslagen zoekopdrachten voldoen.

9 Geavanceerde strategieën voor leden van een referral- of netwerkclub

Als je in sales zit of je eigen bedrijf hebt en al lid bent van Flevum, Netpluswork, BNI, BRE, LeTip, BOB of een andere referral organisatie: goed gedaan, je bent op weg naar succes!

Laten we nu eens gaan kijken hoe LinkedIn je kan helpen nog meer uit je lidmaatschap te halen. De tips in dit onderdeel lijken erg op die voor het vinden van een nieuwe klant, maar zijn zodanig aangepast dat ze de mensen van je referral groep "educeren", zodat jij hen kunt helpen jou beter te helpen. Lees zeker ook het deel "Geavanceerde strategieën voor het vinden van een nieuwe klant", en pas die toe!

Strategie 1: Maak een goed Profile en connecteer met alle leden van de referral groep

Dit lijkt vanzelfsprekend, maar al te vaak maken we geen goed Profile en connecteren we niet met alle andere leden van onze groep. Daarmee missen we heel veel kansen om hen te helpen en hulp van hen krijgen.

Als je een Profile maakt op LinkedIn dan moet dat iedereen, in het bijzonder de leden van de referral groep, duidelijk maken wat jij doet.

Het is ook belangrijk om te connecteren met alle andere leden van je groep, omdat je dan kunt zien met wie zij geconnecteerd zijn (en wie goede prospecten voor jou zouden kunnen zijn) en jij hen de kans geeft om te zien aan wie je hen zou kunnen doorverwijzen.

Sommige leden van je referral groep zullen nog geen Profile op LinkedIn hebben. Bied hen aan om hen te helpen met het maken van een Profile en bij het starten op LinkedIn. Of organiseer een sessie voor enkele mensen tegelijkertijd.

Bied ook extra toegevoegde waarde aan nieuwkomers door hen direct op LinkedIn uit te nodigen. Als een nieuw lid op de eerste bijeenkomst 20 uitnodigingen krijgt om op LinkedIn te connecteren, dan ervaart hij of zijn meteen wat de kracht van de groep (en van het netwerk daarachter) zou kunnen zijn. Hierdoor zal hij willen terugkomen en terug blijven komen!

Strategie 2: Definieer je klant/prospect

Om goede doorverwijzingen te krijgen, is de eerste stap het stellen van doelen zoals we dat in voorgaande hoofdstukken ook hebben gedaan. Normaal gesproken zal je bij het definiëren van een verkoopdoel ook een definitie maken van de mensen die goede prospecten voor jou zijn.

Dit is een cruciale, maar vaak overgeslagen stap. Het niet maken (en niet bijwerken!) van een goede definitie van je prospecten voorkomt dat de doorverwijzingen binnenstromen. Als je geen goede definitie hebt, weten de leden van je referral groep niet hoe ze je kunnen helpen. Of ze geven je de verkeerde doorverwijzingen, hetgeen leidt tot tijdverspilling en frustratie voor alle betrokken partijen.

Let op de volgende zaken bij het maken van een definitie: in welke sector zitten ze? Op welke geografische locatie? Welke functie of functietitel moeten ze hebben? Denk daarbij aan huidige en vroegere functies. Welke parameters heb je nog meer?

Misschien heb je al de namen van specifieke mensen of bedrijven op je lijst met prospecten. Dat is alvast goede informatie, waarmee je de leden van je referral groep kunt helpen de juiste mensen voor je te vinden.

Strategie 3: Kijk in het netwerk van je medegroepsleden om prospecten te vinden

Heel vaak kunnen onze medegroepsleden ons een goede doorverwijzing geven, maar weten ze dit zelf niet. Ze zijn misschien geconnecteerd met mensen die voor ons goede prospecten zouden kunnen zijn, maar denken daar niet aan als ze over onze producten of diensten horen.

Het is hier waar de kracht van LinkedIn je kan helpen. Door naar prospecten te zoeken, zou je kunnen ontdekken dat iemand uit je referral groep jullie beiden kent. LinkedIn maakt deze verbindingen zichtbaar.

Een eerste strategie om meer prospecten te vinden bij wie je collega's van je referral groep je zouden kunnen introduceren, is om door hun netwerken te bladeren. De kans is groot dat zij contacten hebben met jouw potentiële klanten.

Strategie 4: Zoek je prospecten op op LinkedIn

Met de informatie uit strategie 2 kan je gaan zoeken, zoals beschreven in het vorige hoofdstuk. Je zou dan kunnen ontdekken dat één van je medegroepsgenoten van je referral groep de prospect kent.

Je kunt hem of haar dan vragen om je via een Magische E-mail in contact te brengen met je prospect.

Maar wat moet je doen als het contact eenmaal tot stand is gekomen?

Onthoud dat LinkedIn een NETWERK platform is en niet een VERKOOP platform.

Dit betekent dat je na het ontvangen van een introductie bij je prospect moet beginnen een relatie met die persoon op te bouwen, en hem en haar niet met verkooptelefoontjes en brochures moet bombarderen.

Denk dus na over hoe je je prospecten zou kunnen helpen. Denk na over wat je hen kunt geven of met hen delen zonder daarvoor onmiddellijk iets terug te verwachten. (Voor een lijst van dingen die je zou kunnen geven of delen verwijs ik naar mijn boek 'Let's Connect!')

Strategie 5: Verhoog je aantal Recommendations

Zoals ik al heb geschreven in Fundamenteel Principe nummer 5 van het netwerken: mensen doen zaken met en verwijzen zaken door naar mensen die ze kennen, mogen en vertrouwen.

Wat het interessante aan vertrouwen is, is dat dit kan worden doorgegeven. Of tenminste een deel daarvan. Als je op zoek bent naar een loodgieter en een goede vriend van je beveelt er één aan, vertrouw je die loodgieter dan niet beter dan voorheen?

LinkedIn helpt je ook hierbij: mensen kunnen op LinkedIn Recommendations voor elkaar schrijven. We hebben het echter allemaal zo druk, dat we er niet aan denken om dit spontaan te doen.

Hoe kan je dan meer Recommendations krijgen? Dit zijn de twee strategieën die ik suggereer:

1. **Vraag je huidige collega's uit je referral groep om een Recommendation**. Je kunt hiervoor de tools gebruiken die LinkedIn biedt, maar ik raad je aan om hier nog één of andere vorm van communicatie aan toe te voegen. Je kunt tijdens een persoonlijk gesprek of tijdens een telefoongesprek het onderwerp Recommendations op LinkedIn ter sprake brengen en je gesprekspartner vragen een kleine Recommendation voor je te schrijven. Ik beveel je ten zeerste aan om alleen die mensen om een Recommendation te vragen die al een (positieve) ervaring met je hebben. Vraag geen Recommendations aan nieuwkomers in de groep. Ze zouden zich verplicht kunnen voelen en daar negatieve gevoelens bij krijgen. Het resultaat is dan het tegenovergestelde van wat je had willen bereiken!
   Via LinkedIn kan je dan een herinnering sturen, waarin je terugverwijst naar het gevoerde gesprek. Je kunt op LinkedIn een Recommendation aanvragen via "Profile", dan "Recommendations" en tenslotte "Request Recommendation". Gebruik ook hier niet het standaard bericht, maar maak het persoonlijk en verwijs in het bericht naar jullie gesprek. Het kost je iets meer tijd als je het op deze manier doet, in plaats van met het standaardbericht van LinkedIn, maar de resultaten zullen dan ook veel beter zijn. Bedenk ook dat als je alleen het standaardbericht van LinkedIn gebruikt om een Recommendation te vragen, zonder enige andere vorm van communicatie, dit onprettig kan overkomen bij de mensen van wie je graag wilt dat ze je een Recommendation geven. Je zult dan het tegenovergestelde resultaat krijgen van wat je wilde: je hebt de relaties met je huidige collega's meer geschaad dan dat je aantrekkelijkheid voor potentiële klanten is toegenomen.
2. **Schrijf eerst zelf een Recommendation voor iemand anders**. Het standaard bericht dat LinkedIn iemand laat zien die net

een Recommendation heeft ontvangen (en dit kan niet worden veranderd) is een uitnodiging om een Recommendation terug te schrijven. Veel mensen doen dit ook. Als je deze strategie volgt, wees dan wel eerlijk en begin niet met het extreem loven van mensen die je maar eenmaal hebt ontmoet. Je kansen om een Recommendation terug te krijgen nemen daardoor juist af. En als iemand je ooit eens vraagt naar de persoon voor wie je een Recommendation hebt geschreven, zal je ook nog moeten toegeven dat je die persoon helemaal niet zo goed kent. En dat kan je geloofwaardigheid aantasten.

Opmerkingen:

- Als je niet helemaal gelukkig bent met een Recommendation, omdat die niet accuraat is, of te vaag, dan kan je de schrijver ervan vragen om de Recommendation aan te passen. Als je er daarna nog niet gelukkig mee bent, dan kan je er altijd nog voor kiezen om de Recommendation niet op je Profile te tonen.
- Soms zullen je Connections je antwoorden dat ze niet weten wat ze moeten schrijven. Je kunt dan voorstellen om zelf een eerste versie te schrijven die ze als basis kunnen gebruiken. Als je eerlijk bent en niet overdrijft, zullen ze heel waarschijnlijk jouw versie gebruiken voor de Recommendation, zonder daar iets aan te veranderen.

Strategie 6: Houd de Network Updates in de gaten

De Network Updates op je LinkedIn Home Page kunnen je interessante informatie bieden.

Bijvoorbeeld als je ziet dat een collega uit je referral groep connecteert met een prospect. Als je dit ziet gebeuren, dan kan je je collega vragen je te introduceren (of zelfs aan te bevelen) bij deze prospect.

Strategie 7: Maak een Group op LinkedIn

Wanneer je de verantwoordelijke bent voor de plaatselijke afdeling van de referral organisatie waar je lid van bent, dan zou je kunnen overwegen om een Group te starten op LinkedIn. Dit geldt in het bijzonder als je groep nog geen online aanwezigheid heeft (zie ook het volgende hoofdstuk 'Geavanceerde strategieën voor Organisatoren en Group Managers').

Zo'n Group kan een plek zijn waar leden elkaar adviezen en tips geven en waar ze elkaar om hulp kunnen vragen. Dit kan extra toegevoegde waarde geven aan het lidmaatschap, naast de bijeenkomsten.

Strategie 8: Neem deel aan de Discussions van je Group

Als je referral groep een Group op LinkedIn (of op een andere website) heeft, dan is dat een uitstekende plek om jezelf aan de andere leden laten zien.

Hoe doe je dat? Maak geen reclame voor jezelf (tenzij je hierin expliciet wordt aangemoedigd door de Group Manager), maar zoek naar manieren waarop je de andere groepsleden kunt helpen.

Door vragen te beantwoorden en goede hulp te bieden, vergroot je je zichtbaarheid en credibiliteit. Meld hier ook de positieve opmerkingen die je hoort van contacten bij wie je een medelid van de referral groep hebt geïntroduceerd. Gemeende publiekelijke lof werkt altijd goed. Online werkt dat zelfs nog beter, omdat het wordt opgeschreven in plaats van uitgesproken (maar blijf dat laatste ook doen!) Nodig je contact ook uit om een Recommendation op LinkedIn te schrijven voor je collega uit de referral groep.

Als gevolg van je activiteiten op de LinkedIn Group zal je 'Know, Like and Trust' factor vergroten en zullen je collega's uit de referral groep je meer waarderen en meer doorverwijzingen geven.

Strategie 9: Bezoek alle bijeenkomsten van je referral groep om je inspanningen op LinkedIn te versterken

Je begrijpt nu al hoe LinkedIn kan bijdragen aan de resultaten van je lidmaatschap van je referral groep.

Dit werkt ook andersom: door de bijeenkomsten van je referral groep te bezoeken, zal je bijdragen aan de resultaten van je activiteiten op LinkedIn.

Dit zijn de voordelen van het bezoeken van de bijeenkomsten:

- Als je de bijeenkomsten bezoekt, kan je **voorbeelden geven** van projecten die je voor klanten hebt uitgevoerd. Hierdoor zullen je medeleden op extra ideeën komen voor contacten die ze voor je hebben op LinkedIn en in hun andere netwerken. Zelfs al heb je een goede Profile, dan is daar geen ruimte voor voorbeelden en verhalen (je zou die kunnen toevoegen, maar dat zou je Profile onaantrekkelijk om te lezen kunnen maken omdat dit dan veel te lang wordt).

- Als je hebt ontdekt dat een medelid van je referral groep geconnecteerd is met een prospect, dan kan je **voor en na de bijeenkomst met hem of haar een gesprek voeren over hoe goed beiden elkaar kennen, om meer uitleg te geven over de reden waarom je een connectie wil en om de beste manier te suggereren om je door te verwijzen.** Dit zal je medelid helpen om een betere doorverwijzing te geven en het zal jou helpen om een beter resultaat te behalen.

- Het is **gemakkelijker voor mensen om elkaar te leren kennen, mogen en vertrouwen als ze elkaar persoonlijk hebben ontmoet.** Ze kunnen dan namelijk direct ervaren hoe de ander zich tegenover hen en de overige groepsleden gedraagt.

Zoals je ziet, is het lidmaatschap van een referral organisatie, gecombineerd met een (pro)actieve aanwezigheid op LinkedIn, een 'killer' combinatie om doorverwijzing na doorverwijzing te krijgen.

Als je nog meer tips wilt over het opbouwen van een effectieve referral strategie, bekijk dan onze 'Everlasting Referrals Home Study Course' op: www.everlasting-referrals.com

12 Geavanceerde strategieën voor verantwoordelijken van professionele organisaties en Group managers

Voor mensen die verantwoordelijk zijn voor een (professionele) organisatie loont het om een LinkedIn Group te hebben. Zo'n Group kan de interacties tussen leden stimuleren en het aantal leden van de 'real life' organisatie doen toenemen.

Hier volgen enkele geavanceerde strategieën voor het opbouwen van je LinkedIn Group.

Strategie 1: Definieer het type leden dat je wilt

Om de juiste leden aan te trekken, is de eerste stap het stellen van doelen zoals we dat in voorgaande hoofdstukken ook hebben gedaan. Normaal gesproken zal je bij het definiëren van dat doel ook een goede definitie maken van de leden waar je naar op zoek bent.

Let daarbij op de volgende zaken: in welke sector zitten ze? Op welke geografische locatie bevinden ze zich? Welke functie of functietitel moeten ze hebben? Welke parameters heb je nog meer? Denk er aan verschillende synoniemen te gebruiken voor de functie of expertise waar je naar op zoek bent.

Strategie 2: Creëer een Group, nodig je huidige leden uit en stel enkele regels op

Om online te beginnen werken met je organisatie, creëer je een Group op LinkedIn en nodig je de huidige leden van je organisatie uit. Als je een database of Excelsheet met namen en E-mailadressen van je leden hebt, kan je dit in een kwartier doen.

Leg in de uitnodigingse-mail de voordelen van het lidmaatschap van deze Group uit. Vraag je leden ook om het logo van de LinkedIn Group te tonen op hun Profile (als ze nog steeds niet inzien waarom ze LinkedIn zouden moeten gebruiken en lid van de Group zouden moeten worden, koop dan dit boek voor hen ☺ of verwijs hen naar mijn blog www.janvermeiren.com)

Het is ook belangrijk dat je enkele regels opstelt voor de interacties in de Group. Soms worden de Discussions in Groups namelijk overstelpt met irrelevante berichten of schaamteloze verkooppraatjes. Als je de regels hebt opgesteld waar alle leden zich aan moeten houden, dan is het eenvoudiger om paal en perk te stellen aan dergelijk gedrag en er actie tegen te ondernemen als het gebeurt.

Alleen al de online aanwezigheid van de LinkedIn Group zal potentiële nieuwe leden aantrekken. Zij hebben misschien nog nooit van je organisatie gehoord, maar doordat ze in Groups hebben gezocht of de Profiles van hun contacten hebben bekeken, zijn ze op je LinkedIn Group gestuit.

Strategie 3: Voeg meerwaarde toe aan je LinkedIn Group

Vele online forums en clubs beginnen goed, maar 'sterven' na enkele maanden een zachte dood. De oorzaak hiervan is dat het in het begin allemaal nog nieuw is en er wat interacties plaats vinden, maar dat na een tijdje het enthousiasme begint af te nemen en het forum niet meer wordt gebruikt.

Wees je daarom bewust van de 1-9-90 regel. Deze regel houdt in dat in de meeste forums 1 % van de leden zeer proactief is, dat 9 % op deze 1 % reageert en dat de overige 90 % toekijkt of helemaal niet actief is.

Hier kan je echter iets aan doen. Als Group Manager (of bij voorkeur een team van Group Managers) kan je op verschillende manieren interactie stimuleren:

1. Interessante artikelen posten in het News gedeelte.
2. Zelf vragen stellen in de Discussions.
3. Zelf vragen beantwoorden in de Discussions.
4. Een vooruitblik op het volgende evenement of een bespreking van een voorbij evenement posten.
5. Een expert uit de Group of van buiten de Group vragen een artikel te schrijven en dit vervolgens in het News gedeelte posten.
6. Berichten sturen aan leden die de expertise zouden kunnen hebben om een vraag te beantwoorden, maar deze vraag niet hebben gelezen.
7. Als je (onmiddellijke) actie wilt stimuleren, dan is het een goed idee om een aantal mensen te e-mailen en te vragen of ze zin hebben zich in de discussie te mengen. Waarom? Veel mensen hebben hun meldingen voor nieuwe posts op 'weekly' ingesteld. Overdrijf

het echter niet en doe dit alleen als het over een echt interessant onderwerp gaat.

8. In Discussions de naam van de expert posten die de oplossing zou kunnen zijn. Publiekelijke lof wordt altijd op prijs gesteld.
9. Voorkom vervuiling van het Discussions gedeelte. Als leden berichten posten die volgens de door jou opgestelde regels niet acceptabel zijn, dan kan je er op wijzen dat Discussions niet de plek is voor dit soort berichten. Besef dat de meeste mensen die 'ongepaste' berichten plaatsen, dat doen omdat ze niet weten wat de gedragsregels op forums zijn. Help deze mensen. Door hun berichten te verwijderen en te vervangen door 'goede' berichten, zorg je er ook voor dat andere leden geïnteresseerd blijven en niet afhaken.
10. Wees een matchmaker tussen leden. Als je online of offline iemand ontmoet die interessant zou kunnen zijn voor een ander lid, breng beiden dan met elkaar in contact. Deze actie alleen al zal een blije community creëren, met leden die jaar na jaar hun lidmaatschap opnieuw verlengen.
11. Extra acties voor buiten de Group: suggereer in Answers de leden van je Group als experts. Wees een ambassadeur voor de leden van je Group.

Strategie 4: Gebruik de gratis LinkedIn Group om meer leden aan te trekken

De meeste professionele organisaties focussen op evenementen en bijeenkomsten waar mensen elkaar persoonlijk kunnen ontmoeten. Dit is nog steeds de beste manier om met mensen in contact te komen en de relaties met je huidige contacten te onderhouden. Als deze evenementen en ontmoetingen goed worden georganiseerd, zijn mensen bereid daarvoor te betalen.

Een LinkedIn Group (of ander online forum) voor je organisatie oprichten zal er zeker toe bijdragen dat de huidige leden elkaar kunnen vinden, met elkaar in contact kunnen blijven en geïntroduceerd worden bij elkaars connecties. Alleen dit al zou genoeg reden moeten zijn om een LinkedIn Group te starten.

Er zijn misschien organisaties die ook voor deze online interactie een lidmaatschapsgeld willen vragen of de Group in hun business model willen opnemen. En dat kan zeker een goede oplossing zijn. Andere organisaties willen vooral het aantal leden laten groeien. Een goede strategie kan dan zijn om een open en gratis LinkedIn Group op te richten, die meer potentiële leden kan aantrekken. Voordelen van zo'n strategie zijn:

- De potentiële leden krijgen alvast een voorproefje van de organisatie en de redenen waarom het interessant zou kunnen zijn om er lid van te worden. Als je hierbij bovenstaande strategie 3 volgt, dan zal dit hun heel snel duidelijk worden.

- Hoe meer mensen er in de LinkedIn Group zitten (die via hun Profile automatisch hun tweedegraads en derdegraads netwerk met zich meebrengen), hoe interessanter de Group zal worden voor de huidige leden. Dit zal er toe bijdragen dat het huidige aantal leden zal worden behouden.

Wees er wel van bewust dat slechts weinig mensen alle voordelen van LinkedIn en de LinkedIn Groups kennen. Daarom heb ik ook dit boek geschreven. Het is dus belangrijk om hen op weg te helpen. Na het lezen van dit boek zal je zelf genoeg ideeën hebben om dat te doen. Als je echter nog extra hulp nodig hebt, contacteer ons gerust via connect-with-us@networking-coach.com

Strategie 5: Vraag de leden om hun contacten uit te nodigen

Als je wilt dat je organisatie groeit, kan je de huidige leden vragen om lid te worden van de LinkedIn Group en het logo van de Group in hun Profile te tonen. Hiermee zal je al enkele nieuwe leden kunnen aantrekken.

De volgende stap is om de leden van je Group te vragen mensen uit hun netwerk uit te nodigen zich bij de Group aan te sluiten. Om goede interacties te garanderen en de 'kwaliteit' van de Group te bewaken, moet je het type mensen dat je voor de Group zoekt duidelijk omschrijven.

Mensen zullen sneller geneigd zijn om anderen voor hun Group uit te nodigen als ze zelf de waarde van het lidmaatschap daarvan hebben ervaren. Door strategie 3 toe passen, zullen ze deze waarde zeker ervaren.

Strategie 6: Zoek zelf naar potentiële leden en vraag de huidige leden om hulp

Ondanks het feit dat je misschien een grote toegevoegde waarde hebt geboden aan de leden van je Group, zullen er toch mensen zijn die geen andere mensen uitnodigen om lid te worden van de Group. De meest voorkomende reden hiervoor is dat ze er niet de tijd voor nemen om na te denken over wie erin geïnteresseerd zouden kunnen zijn lid van de Group te worden.

Wat je in dat geval kunt doen, is hen helpen jou te helpen.

Hiervoor kan je de volgende strategieën gebruiken:

- Gebruik de parameters uit de definitie van strategie 1 voor een zoekopdracht op LinkedIn. Je ziet dan welk huidig lid geconnecteerd is met het potentiële lid.

- Blader door het netwerk van je huidige leden om te zien of je potentiële leden kunt vinden.
- Kijk in de Profiles van huidige en potentiële leden onder "Viewers of this Profile also viewed" om Profiles van andere potentiële leden te vinden. Deze mogelijkheid bevindt zich aan de rechterkant van elke Profile-pagina.

Vraag vervolgens het huidige lid om die specifieke persoon uit te nodigen. Het kost het minste tijd om dat per e-mail te doen. Als mensen niet weten wat ze moeten schrijven, stuur hen dan een concepttekst die ze kunnen gebruiken om hun contact uit te nodigen.

Als er huidige leden zijn die geen enkele waarde hebben ondervonden van hun lidmaatschap van de organisatie of van de LinkedIn Group, dan zullen die natuurlijk weerstand hebben om iemand uit te nodigen. Zorg er dus voor dat je eerst strategie 3 hebt uitgevoerd.

Strategie 7: Verhoog je aantal Recommendations

Zoals ik al heb geschreven in Fundamenteel Principe nummer 5 van het netwerken: mensen doen zaken met en verwijzen zaken door naar mensen die ze kennen, mogen en vertrouwen.

Wat het interessante aan vertrouwen is, is dat dit kan worden doorgegeven. Of tenminste een deel daarvan. Als je op zoek bent naar een loodgieter en een goede vriend van je beveelt er één aan, vertrouw je die loodgieter dan niet beter dan voorheen?

LinkedIn helpt je ook hierbij: mensen kunnen op LinkedIn Recommendations voor elkaar schrijven. We hebben het echter allemaal zo druk, dat we er niet aan denken om dit spontaan te doen.

Hoe kan je dan meer Recommendations krijgen? Dit zijn de twee strategieën die ik suggereer:

1. **Vraag je huidige leden om een Recommendation**. Je kunt hiervoor de tools gebruiken die LinkedIn biedt, maar ik raad je aan om hier nog één of andere vorm van communicatie aan toe te voegen. Je kunt tijdens een persoonlijk gesprek of tijdens een telefoongesprek het onderwerp Recommendations op LinkedIn ter sprake brengen en je gesprekspartner vragen een kleine Recommendation voor je te schrijven.
   Via LinkedIn kan je dan een herinnering sturen, waarin je terugverwijst naar het gevoerde gesprek. Je kunt op LinkedIn een Recommendation aanvragen via "Profile", dan "Recommendations" en tenslotte "Request Recommendation". Gebruik ook hier niet het standaard bericht, maar maak het persoonlijk en verwijs in het bericht naar jullie gesprek. Het kost je iets meer tijd als je het op deze manier doet, in plaats van met het standaardbericht van

LinkedIn, maar de resultaten zullen dan ook veel beter zijn. Bedenk ook dat als je alleen het standaardbericht van LinkedIn gebruikt om een Recommendation te vragen, zonder enige andere vorm van communicatie, dit onprettig kan overkomen bij de mensen van wie je graag wilt dat ze je een Recommendation geven. Je zult dan het tegenovergestelde resultaat krijgen van wat je wilde: je hebt de relaties met je huidige leden meer geschaad dan dat je aantrekkelijkheid voor potentiële leden is toegenomen.

2. **Schrijf eerst zelf een Recommendation voor iemand anders**. Het standaard bericht dat LinkedIn iemand laat zien die net een Recommendation heeft ontvangen (en dit kan niet worden veranderd) is een uitnodiging om een Recommendation terug te schrijven. Veel mensen doen dit ook. Als je deze strategie volgt, wees dan wel eerlijk en begin niet met het extreem loven van mensen die je maar eenmaal hebt ontmoet. Je kansen om een Recommendation terug te krijgen nemen daardoor juist af. En als iemand je ooit eens vraagt naar de persoon voor wie je een Recommendation hebt geschreven, zal je ook nog moeten toegeven dat je die persoon helemaal niet zo goed kent. En dat kan je geloofwaardigheid aantasten.

Opmerkingen:

- Als je niet helemaal gelukkig bent met een Recommendation, omdat die niet accuraat is, of te vaag, dan kan je de schrijver ervan vragen om de Recommendation aan te passen. Als je er daarna nog niet gelukkig mee bent, dan kan je er altijd nog voor kiezen om de Recommendation niet op je Profile te tonen.
- Soms zullen je Connections je antwoorden dat ze niet weten wat ze moeten schrijven. Je kunt dan voorstellen om zelf een eerste versie te schrijven die ze als basis kunnen gebruiken. Als je eerlijk bent en niet overdrijft, zullen ze heel waarschijnlijk jouw versie gebruiken voor de Recommendation, zonder daar iets aan te veranderen.

Strategie 8: Gebruik de ‘Status Update’ functie

Met de ‘Status Update’ functie kan je mensen laten weten wat je op dit moment aan het doen bent. Je hebt hiervoor 100 tekens tot je beschikking.

Hoe kan dit je helpen? Als je volgende evenement op komst is of als je op zoek bent naar een bepaalde persoon of functie die je niet kunt vinden op LinkedIn, dan kan je dit hier melden. Dit bericht wordt getoond aan het grootste deel van de mensen in je netwerk. Zij kennen misschien iemand die nog niet op LinkedIn zit of iemand met een Profile dat buiten je zoektermen viel.

Je kunt zelf kiezen wie deze 'Status Update' kan zien: alleen je directe Connecties, de drie graden van je netwerk, of iedereen. Afhankelijk van wat je hebt opgeschreven en van wie er allemaal in je netwerk zitten, kan het interessant zijn om elke keer als je je status verandert, deze instelling ook te veranderen.

Verwacht hier niet al te veel van, want niet iedereen leest deze 'Status Updates' of reageert erop. Aan de andere kant kost het je maar een paar seconden van je tijd en je weet maar nooit wie je zou kunnen helpen.

Waar vind je dit? Klik in het linker navigatiemenu op 'Profile'. In het witte vakje onder je foto kan je vervolgens je status updaten.

Opmerking: als je ook een account hebt op websites als Plaxo, Facebook, MySpace of Twitter, zijn er nu tools beschikbaar waarmee je je status kunt updaten voor alle websites tegelijkertijd. Zie het hoofdstuk 'Gratis tools die je tijd besparen als je met LinkedIn werkt'.

Strategie 9: Houd de Network Updates in de gaten

De Network Updates op je LinkedIn Home Page kunnen je interessante informatie bieden.

Bijvoorbeeld als er een huidig lid connecteert met een potentieel lid. Je kunt je contact dan vragen om het potentiële lid uit te nodigen voor de LinkedIn Group, of om jou te introduceren bij het potentiële lid.

Andere interessante informatie is als een huidig lid een nieuwe functie krijgt. Dit zou kunnen betekenen dat hij of zij niet langer is gekwalificeerd voor het lidmaatschap, maar wel zijn of haar opvolger. Vraag na hoe de situatie is en vraag om een introductie bij de nieuwe persoon.

Strategie 10: Gebruik LinkedIn als generator van potentiële leden door alerts te creëren

LinkedIn biedt je de mogelijkheid om je zoekopdrachten op te slaan en deze automatisch te laten lopen. Met een gratis account kan je 3 zoekopdrachten opslaan. Deze kan je handmatig uitvoeren, maar je kunt ze ook automatisch laten lopen, bijvoorbeeld elke week of maand.

Waarom kan dit nuttig voor je zijn? Nadat je een definitie van het gewenste type leden hebt gemaakt en hebt geëxperimenteerd met de zoekfunctie om hen te vinden, kan je die zoekopdracht(en) opslaan en automatisch laten lopen. Elke week of elke maand zal LinkedIn je dan een e-mail sturen met de nieuwe mensen die aan de zoekcriteria van de opgeslagen zoekopdrachten voldoen.

Strategie 11: Vind sprekers en gastredacteuren

De meeste organisaties hebben continu sprekers voor evenementen en gastschrijvers voor hun tijdschrift of website nodig. Voor sommige organisaties zijn die gemakkelijk te vinden, maar voor anderen wordt dit na een tijdje steeds moeilijker en neemt het steeds meer tijd in beslag om ze te vinden (en deze organisaties kunnen niet voor elk evenement iemand van ons team van Networking Coach uitnodigen ☺).

Er zijn enkele strategieën om LinkedIn te gebruiken voor het vinden van een spreker of gastschrijver:

- **Post de oproep in de Discussions van je eigen LinkedIn Group**. Zorg ervoor dat je specifiek genoeg bent, anders zal je vele reacties krijgen die alleen maar tijd kosten om te onderzoeken, maar je niets zullen opleveren.
- **Post de oproep in de Discussions op één van de LinkedIn Groups voor sprekers**. Gebruik de 'Find a Group' functionaliteit in de Groups Directory. Als je geen lid wilt worden van een bepaalde Group, vraag dan de Group Manager om de oproep voor je te posten.
- **Gebruik 'Advanced Search' met de juiste parameters om hen te vinden**. Leg het contact via een Magische E-mail of via 'Get Introduced Through a Connection'.
- **Blader in het netwerk van een spreker die je in het verleden hebt ingehuurd**. Je kunt hem of haar natuurlijk ook direct met je vraag benaderen. Leg het contact via een Magische E-mail of via 'Get Introduced Through a Connection'.

Heb je nog steeds geen gastspreker gevonden, kijk dan op de website van de 'International Federation for Professional Speakers' (http://www.iffps.org/). Onderaan de home page van die website staan ook links naar nationale organisaties, waar je plaatselijke sprekers kunt vinden. Je kunt ook een e-mail naar Networking Coach sturen op connect-with-us@networking-coach.com en ons vertellen naar wat voor soort spreker je op zoek bent, en dan zullen wij zien met wie we je in contact kunnen brengen.

Strategie 12: gebruik Events om publiciteit voor je evenementen te maken

Een relatief nieuwe mogelijkheid op LinkedIn zijn de Events. Je kunt hier een evenement posten en mensen kunnen je laten weten of ze wel of niet komen. Ze kunnen de aankondiging in één bericht met maximaal 50 andere LinkedIn contacten delen. Je kunt ook een LinkedIn Ad voor het evenement plaatsen (Opmerking: op het moment dat ik dit schrijf, is deze mogelijkheid alleen beschikbaar voor profielen uit de VS).

Als je van deze mogelijkheden gebruik maakt, kan je meer bezoekers trekken dan als je alleen je gebruikelijke kanalen gebruikt.

Op het moment dat ik dit schrijf, is deze functionaliteit alleen toegankelijk via je Home Page en niet heel gemakkelijk te vinden. Verwacht daarom niet dat al teveel mensen je evenement zullen vinden als je daarnaast niet ook gebruik maakt van de hulp van je netwerk.

Maar het plaatsen van evenement op de agenda is gratis, dus waarom zou je niet 3 minuten de tijd nemen om dit te doen?

Hoe moet je een evenement toevoegen aan de agenda?

- Ga in het linker navigatiemenu naar 'Applications'.
- Klik op het + teken.
- Klik op 'Events'.
- Klik bovenaan de nieuwe pagina op 'Add Event' en voeg je evenement toe.

Conclusie van dit hoofdstuk

Je hebt nu niet alleen een basisstrategie om je netwerk op LinkedIn te laten groeien en gebruik te maken van de kracht van je netwerk, maar je hebt ook verschillende strategieën leren kennen voor de taak of taken die je in je job moet doen.

Of je nu op zoek ben naar nieuwe klanten, een nieuwe baan of stage, nieuwe medewerkers, leveranciers, partners of interne/externe expertise, er zijn vele geavanceerde strategieën voor je. Ook voor leden van referral- en netwerkgroepen en verantwoordelijken van professionele organisaties en verenigingen zijn er geavanceerde strategieën.

Enkele van deze geavanceerde strategieën zijn: een definitie maken van het type mensen waarnaar je op zoek bent, deze mensen vinden met zoekopdrachten op LinkedIn, in de netwerken van je contacten kijken, Groups vinden in de Profiles van je contacten, vragen beantwoorden in Groups en Answers, Recommendations geven en ontvangen, je netwerk op de hoogte houden via Status Update, meldingen ontvangen via Network Updates en Alerts creëren.

Om echt succesvol op LinkedIn te zijn en enkele valkuilen te vermijden, is het aan te bevelen op de hoogte te zijn van enkele 'verhitte' discussie-onderwerpen en bepaald gedrag van LinkedIn. Sommige mensen willen ook de tijd die ze op LinkedIn doorbrengen zo beperkt mogelijk houden zonder in te boeten op resultaten. Ik raad je daarom aan om ook de laatste 3 hoofdstukken te lezen, de tips die daarin staan toe te passen en de gratis tools te gebruiken om tijd te besparen.

Antwoorden op brandende vragen en verhitte discussie-onderwerpen

Omdat we altijd veel vragen krijgen over het wel of niet volgen van bepaalde strategieën, behandel ik in dit hoofdstuk enkele onderwerpen die altijd tot discussies leiden, en geef ik eveneens antwoord op enkele veel gestelde vragen.

Soms zal ik je direct advies geven wat ik zelf zou doen en soms zal ik je alleen maar beide kanten van de discussie laten zien.

Niet iedereen zit op LinkedIn en dus werkt het niet

Een opmerking die we vaak te horen krijgen is: "Niet iedereen en niet elke functie zit op LinkedIn. Ik kan daar niet altijd de juiste persoon vinden. LinkedIn werkt niet voor mij." Het klopt dat niet iedereen lid is van LinkedIn. Maar dit netwerk groeit HEEL snel. Van 19 miljoen naar 32 miljoen gebruikers in één jaar (2008), dat is een heel snel groeitempo. De persoon naar wie je op zoek bent zat daarom misschien gisteren nog niet op LinkedIn, maar vandaag misschien wel.

Laten we het ook eens vanuit een ander gezichtspunt bekijken: enkele jaren geleden, toen LinkedIn nog niet bestond, was het bijna onmogelijk om de connecties tussen mensen te ontdekken, of kostte het heel veel tijd om dat uit te vinden. Nu maakt LinkedIn dat veel gemakkelijker. En als je de persoon die je zoekt niet kunt vinden, wat belet je dan om het op de 'ouderwetse manier' te proberen?

Ik herhaal hier wat ik al eerder schreef. Ondanks het feit dat niet iedereen op LinkedIn zit, is het een website voor zakelijk netwerken waarmee je heel veel zakelijke contacten kan bereiken. Wat we in de praktijk zien, is dat al een meerderheid van de organisaties op LinkedIn is vertegenwoordigd (in de VS hebben alle Fortune 500 bedrijven een aanwezigheid op LinkedIn op "executive" niveau). Misschien vind je op LinkedIn niet de Marketing Manager van een bedrijf, maar vind je wel de IT Manager. De Marketing Manager is daar echter maar één stap van vandaan. Okay, dat kost wat extra moeite, maar is nog steeds stukken gemakkelijker dan voor het bestaan van LinkedIn.

Nog niemand heeft contact met me opgenomen. LinkedIn is dus een nutteloze zakelijke tool.

Integendeel! LinkedIn is een super hulpmiddel dat je helpt om de mensen te vinden die zich in de beste positie bevinden om je te helpen je doelen te bereiken, wat die ook mogen zijn.

Veel mensen denken echter dat als ze een Profile aanmaken, andere mensen wel contact met hun zullen opnemen. Als ik de mensen die hierover klagen, vraag of ze ooit zelf met iemand contact hebben opgenomen, blijft het bijna altijd stil.

Betekent dit dat LinkedIn niet werkt? Nee! Als je de in dit boek uitgelegde strategieën om LinkedIn proactief te gebruiken volgt, kan dat je snel nieuwe klanten opleveren, of een nieuwe baan, nieuwe medewerkers, leveranciers, partners, expertise, ...

Denk er aan dat als je resultaten wilt zien, je daar zelf verantwoordelijk voor bent. Jij bent degene die actie moet ondernemen. En LinkedIn is een fantastische tool om je daarbij te helpen.

Ik ben tevreden met mijn huidige professionele situatie, dus waarom zou ik een netwerk moeten opbouwen op LinkedIn (of elders)?

Laat me beginnen met je te antwoorden dat je niets MOET doen. Alle tips in dit boek zijn suggesties en tips die voortkomen uit mijn ervaring met het geven van honderden trainingen en presentaties over netwerken of referrals, en van mijn persoonlijke ervaring met het gebruik van LinkedIn.

Waarom dus een netwerk opbouwen op LinkedIn? Om te beginnen heeft vrijwel iedereen bij tijd en stond bepaalde expertise nodig of nieuwe contacten binnen of buiten een bepaald bedrijf. LinkedIn helpt je deze experts te vinden en de mensen die je bij hen kan introduceren. Dus dat is één reden.

De tweede en misschien wel belangrijkere reden is dat ik maar al teveel mensen ontmoet die hun netwerk beginnen op te bouwen als het al te laat is. Mensen die onverwachts worden ontslagen en plotseling snel een nieuwe baan moeten vinden, realiseren zich plots dat ze een netwerk nodig hebben om hen te helpen. Vervolgens worden ze lid van LinkedIn en beginnen hun netwerk op te bouwen, wat tijd kost. En vaak hebben ze die tijd niet.

Hetzelfde geldt voor ondernemers. Ik ontmoet zoveel mensen die een fantastisch idee hebben, hun baan opzeggen, een bedrijf beginnen, veel geld investeren en zich na enkele maanden realiseren dat ze ook nog klanten nodig hebben. En veel. En snel. Waarom? Omdat de maandelijkse kosten en investeringen hoog zijn. Ze realiseren zich dan pas dat ze moeten beginnen met het opbouwen van een netwerk, terwijl ze dat al maanden eerder hadden moeten doen.

In beide bovenstaande voorbeelden beginnen mensen pas hun netwerk op te bouwen als ze dat DRINGEND NODIG HEBBEN. Het gevolg is dat ze vanuit een behoefte, soms zelfs bijna wanhoop, met mensen contact leggen. Deze energie of attitude gaat mensen afstoten in plaats van hen te enthousiasmeren om hulp te bieden.

Begin dus met het opbouwen van je netwerk voordat je dit feitelijk nodig hebt. Je kunt dan op een normale manier met mensen omgaan, namelijk met de netwerk attitude, die inhoudt dat je dingen deelt zonder daarvoor onmiddellijk iets terug te verwachten.

Waarom zou ik LinkedIn moeten gebruiken als ik Google heb om informatie te vinden?

Google is een uitstekende hulpbron voor het vinden van informatie. Gebruik het dus als je op zoek bent naar **informatie**.

LinkedIn is een verzameling van mensen en hun onderlinge relaties. Gebruik LinkedIn dus als je op zoek bent naar een **persoon.**

Mensen met duizenden Connections

Sommige mensen op LinkedIn hebben tienduizenden Connections. Zij noemen zichzelf soms LIONS, wat een afkorting is voor LinkedIn Open Networkers. Zij staan open voor iedereen die met hen wil connecteren en connecteren ook zelf zoveel mogelijk met mensen als maar mogelijk is.

Omdat LinkedIn maximaal maar 500 Connections in de Profiles laat zien, schrijven veel mensen in hun Profile hoeveel Connections ze feitelijk hebben.

Vaak horen we in onze presentaties en trainingen: 'Deze mensen zijn alleen maar gericht op het verzamelen van mensen (net zoals iemand anders postzegels verzamelt), en niet op zoek naar echte connecties.' Enkele deelnemers vertellen vervolgens dat zij alleen Connections willen hebben met mensen die ze heel goed kennen en aan wie ze bereid zijn een Recommendation te geven.

De LIONS zelf zeggen dat het hebben van zoveel Connections hen helpt om met veel mensen contact op te nemen om hen te helpen hun doelen te bereiken, en dat ze ook beter in staat zijn de mensen uit hun netwerk te helpen met zoveel Connections.

Mijn eigen, persoonlijke benadering ligt ergens in het midden. Deze discussie gaat ook terug naar de discussie over de verhouding kwaliteit-diversiteit, waar ik het in het eerste hoofdstuk over heb gehad.

Ikzelf connecteer met mensen:

- Als ik ze persoonlijk, in 'real life', heb ontmoet
- Of als ze me een persoonlijk bericht sturen met een goede reden waarom ze met me willen connecteren.

Betekent dat dus dat ik met iedereen connecteer? Nee, en dus ben ik geen LION. Aan de andere kant erken ik dat het hebben van een groot netwerk een bepaalde waarde heeft. Maar voor mij moet er altijd een persoonlijk contactmoment zijn. Betekent dit dat ik bereid ben iedereen uit mijn netwerk een Recommendation te geven? Nee! Alleen als ik een persoonlijke ervaring met die persoon heb gehad, zal ik een Recommendation schrijven.

Dus wat is mijn advies? Net als ik te doen? Nee. Ik wilde je alleen maar de verschillende gezichtspunten laten zien, zodat je zelf beter kunt kiezen wat je wilt.

Mijn Connections verbergen of tonen?

Op de pagina 'Account & Settings', onder 'Privacy Settings/Connections Browse', kan je de optie uitzetten dat mensen vanuit je Profile door je netwerk kunnen bladeren.

Soms hebben mensen hun redenen om hun netwerk niet te willen laten zien aan anderen. Ik stel altijd de vraag: wat verwacht je van de andere mensen op LinkedIn? Verwacht je dat zij hun netwerk openstellen voor jou, maar wil je dat niet voor hen doen? Dat lijkt me geen eerlijke deal.

Als je niet toestaat dat je netwerk je Connections kan zien en ook niet verwacht dat zij hun Connections met jou delen, dan is dat wat anders.

Sommige mensen willen niet dat anderen door hun Connections kunnen bladeren omdat ze niet willen dat de concurrentie kan zien wie hun klanten zijn. Voor mij is dit geen oplossing. Als je bang bent dat iemand je klanten kan 'afpikken' doordat je Connections op LinkedIn te zien zijn, dan kan je beter werken aan je relaties met de klanten. Tevreden klanten veranderen niet van leveranciers, zelfs neutrale klanten doen dat vaak niet. Waarom? Omdat verandering onzekerheden met zich mee brengt. De meeste mensen blijven het liefste zitten waar ze zitten, in het bijzonder als ze een product of dienst met een goed prijs-kwaliteit-verhouding hebben gevonden.

Overigens, als je niet toelaat dat anderen je netwerk kunnen zien en iemand gebruikt de Search functionaliteit en vindt daarbij iemand die in je netwerk zit, dan worden zowel je contact als jijzelf in de zoekresultaten getoond.

Toegang tot LinkedIn blokkeren voor medewerkers?

Er zijn organisaties die websites als LinkedIn blokkeren voor hun medewerkers, omdat ze bang zijn dat hun medewerkers werkaanbiedingen van andere bedrijven zullen krijgen. Anderen doen het omdat hun medewerkers teveel tijd op LinkedIn en andere soortgelijke websites doorbrengen.

Is dat blokkeren een goed idee? Naar mijn mening niet.

Voor organisaties die bang zijn dat hun medewerkers hen verlaten omdat iemand contact met ze opneemt, heb ik dezelfde opmerking als voor mensen die bang zijn dat hun concurrenten klanten van hen 'afpikken' omdat ze de connecties kennen: als mensen tevreden met hun situatie zijn, verlaten ze je (bedrijf) niet. Zorg er dus voor dat ze tevreden zijn en zich gerespecteerd voelen. Dan heb je niets te vrezen. Als ze ontevreden zijn en je LinkedIn blokkeert, dan zullen ze dat thuis in hun eigen tijd gaan gebruiken. Het resultaat zal echter hetzelfde zijn.

Voor organisaties die bang zijn dat hun medewerkers hun tijd verspillen op LinkedIn, in plaats van productief te zijn, heb ik het volgende advies: in plaats van websites te blokkeren, leer je beter mensen hoe ze deze websites kunnen inschakelen om tijd te besparen en in een kortere tijdspanne betere resultaten te behalen. En indien nodig, stel je een 'policy' of enkele regels op, zodat het iedereen duidelijk weet waaraan en waaraf.

Het blokkeren van websites als LinkedIn is vrij onzinnig in de huidige wereld, waarin iedereen met iedereen is verbonden. Sociale netwerken zijn bovendien de tools van de jonge generatie. Zij gebruiken die en zullen die blijven gebruiken. Er is geen enkele manier om ze ervan te weerhouden dat in hun vrije tijd te doen. In plaats van tegen deze technologieën te vechten, is het beter om ze te leren kennen en in het eigen voordeel te gebruiken.

Wanneer moet ik beginnen met het opbouwen van mijn netwerk?

Het antwoord is heel eenvoudig: nu! Veel mensen beginnen met het opbouwen van hun netwerk als ze een baan, klant of iets anders nodig hebben en, in de meeste gevallen, als ze dat heel dringend en heel snel nodig hebben. Als gevolg daarvan staan ze onder zo'n tijdsdruk, dat ze de fundamentele principes van netwerken aan de kant zetten. Het resultaat hiervan is echter dat mensen negatief op dergelijk gedrag reageren, waardoor ze nog 'wanhopiger' worden, de principes nog meer negeren en in een neerwaartse spiraal terechtkomen.

Begin dus nu met het opbouwen van je netwerk, nu je nog niet onder tijdsdruk staat. Breng de fundamentele principes in de praktijk en geniet van het proces.

Hoeveel tijd moet ik doorbrengen op LinkedIn?

Omdat we allemaal verschillend zijn en verschillende persoonlijkheden en doelen hebben, is dit een moeilijk te beantwoorden vraag.

Er zijn mensen die ervan houden constant in contact te staan met andere mensen, via allerlei media, zoals de telefoon, e-mail, online networking en instant messaging. Anderen houden ervan alleen te werken en de avonden en weekenden rustig en alleen door te brengen.

Ook zijn er momenten in het leven waarop je meer interactie wilt en nodig hebt dan op andere tijden.

Dat gezegd, wat ik je adviseer om te doen is de basisstrategie toe te passen, op papier de D.O.E.N. oefening voor één doel te doen en vervolgens een geavanceerde strategie toe te passen die het best bij jouw situatie past, zodat je kunt gaan ervaren hoe LinkedIn je kan helpen.

Daarna is het aan jou zelf om te bepalen hoeveel tijd je wilt besteden op LinkedIn.

Als minimale tijdsduur om vrij te houden als je niet actief met een bepaald doel bezig bent (laten we dit 'onderhoud' noemen) adviseer ik één uur per week, die je kunt gebruiken om de Discussions te lezen van de Groups waar je lid van bent en daaraan bij te dragen, om de Network Updates van je netwerk te lezen en om te kijken of je misschien enkele mensen met elkaar in contact kunt brengen of iemand kunt helpen die in Answers een vraag heeft gesteld.

Naast een dagelijkse of wekelijkse update van wat er in je Groups gebeurt, raad ik je aan je persoonlijke berichten onmiddellijk te laten afleveren, zodat je geen kansen mist. Mensen die op zoek zijn naar iets of iemand hebben tegenwoordig namelijk niet meer een week de tijd om op een antwoord te wachten.

Connecteer ik enkel met mensen die ik heel goed ken? Als ik met anderen connecteer, kan ik hen niet aanbevelen.

Het is heel belangrijk om het verschil tussen een introductie en een aanbeveling onder ogen te houden. Je kunt iemand alleen maar een gemeende aanbeveling geven als je er ervaring mee hebt gehad. Maar laat dat je niet weerhouden van het introduceren van mensen aan elkaar. Je kunt altijd twee mensen aan elkaar voorstellen die je niet zo goed kent. De woorden die je gebruikt bij het maken van de introductie zijn echter wel belangrijk.

Als je iemand maar 5 minuten hebt gesproken, maar denkt dat hij of zij één van je zakelijke contacten zou kunnen helpen, dan kan je woorden gebruiken als: 'Hallo Marie, ik wil je voorstellen aan Marc Janssen. Ik heb Marc ontmoet op de Veiligheidsconferentie van vorige week. In de 5 minuten dat we met elkaar hebben kunnen praten, vertelde hij mij dat hij net klaar was met een veiligheidsproject bij een grote chemische fabriek. Misschien kan hij ook jou helpen bij je projecten.'

Als je woorden gebruikt als 'vorige week, 5 minuten en misschien' zal Marie begrijpen dat je geen enkele ervaring hebt met Marc en dat je hem niet kunt aanbevelen. Maar ze zal blij zijn dat je aan haar hebt gedacht en haar hebt willen helpen.

Wanneer is een relatie goed genoeg om iemand een Invitation te sturen? En hoe doe je dat?

Er is hier geen indicator zoals bijvoorbeeld het aantal ontmoetingen of het aantal uren dat je met elkaar hebt gepraat. Soms kan je een Invitation sturen na één gesprek, soms zal je er nooit één sturen.

Voor mij is de indicator de manier waarop het gesprek is verlopen. Had je iets gemeenschappelijks? Was er een 'klik'? Door in een gesprek over LinkedIn te beginnen, kan je het proces ook versnellen. Je weet dan of iemand LinkedIn gebruikt of niet en hoe hij of zij denkt over het ontvangen van Invitations.

Het beste moment om er over te beginnen, is als je het hebt gehad over wat je voor de andere persoon zou kunnen betekenen of met wie je hem of haar in contact zou kunnen brengen. Op dat moment is het heel gemakkelijk om te zeggen: 'Zal ik je een uitnodiging sturen voor LinkedIn, zodat je via mij een directe connectie hebt met degene waar we het over hadden?'

Nog een andere tip is: zoek altijd naar manieren waarop je iemand zou kunnen helpen of een bepaalde meerwaarde bieden. In de meeste gevallen is dat via je netwerk.

Ik heb veel contacten van jaren geleden. Kan ik daar nu nog contact mee opnemen?

Ja, je kunt altijd met iemand het contact herstellen. Voel je er niet slecht bij dat het al zo lang geleden is. De ander heeft immers ook geen contact opgenomen. Misschien heeft hij of zij dezelfde aarzeling om terug contact op te nemen.

Als je met iemand van jaren geleden terug contact opneemt, schrijf dan altijd een persoonlijk bericht. Schrijf over de tijd die jullie samen hebben doorgebracht, over de projecten waar je samen aan hebt gewerkt of over jullie studententijd. Gebruik als afzender de naam die je destijds had. Dit geldt in het bijzonder voor vrouwen die nu de achternaam van hun echtgenoot dragen.

Wat moet ik doen met een Invitation van iemand die ik niet zo goed ken?

Dit is natuurlijk afhankelijk van wat je eigen strategie op LinkedIn is en van het soort Invitation. Maar laten we aannemen dat je geen connectie wilt. Er zijn nu drie strategieën die je kunt volgen:

1. Niets doen. Accepteer niet, klik niet op 'I Don't Know this person' en antwoord niet.

2. Gebruik de knop 'reply' om uit te leggen dat je alleen connecteert met mensen die je heel goed kent.
3. Accepteer de Invitation. Later kan je 'Remove Connections' gebruiken om de link terug te verwijderen. Deze persoon zal daar geen melding van ontvangen.

Wat moet ik doen met een Invitation van iemand die ik helemaal niet ken (of denk niet te kennen)?

Eén van de grootste problemen met LinkedIn is dat niet veel mensen weten dat ze een persoonlijk bericht bij een Invitation kunnen schrijven, of dat ze geen reden zien om dat te doen.

Ik hoop dat je inmiddels hebt begrepen dat LinkedIn een tool is om relaties op te bouwen. Het is moeilijk om relaties op te bouwen met onpersoonlijke berichten. Daarnaast is een Invitation ook een contactmoment met die specifieke persoon. Maak daarom je berichten zo persoonlijk mogelijk!

Slechts weinig mensen sturen echter een persoonlijk bericht bij de Invitation. Persoonlijk ontvang ik heel veel onpersoonlijke Invitations. Omdat ik heel veel presentaties geef en mensen ontmoet, weet ik niet altijd voor 100% of dat ik de persoon die ik op het eerste zicht niet herken, ontmoet heb of niet. Daarom geef ik altijd antwoord.

Het bericht dat ik stuur is:

> *Hallo xxx,*
>
> *Bedankt voor je uitnodiging om te connecteren !*
>
> *Helaas ontmoet ik zoveel mensen, dat ik niet altijd 'naam en gezicht bij elkaar kan brengen'.*
>
> *Kun je me even helpen door me te vertellen waar we elkaar hebben ontmoet?*
>
> *Bedankt en ... have a great networking day!*
>
> *Jan*

Het hangt vervolgens af van het antwoord dat ik krijg of ik de uitnodiging accepteer of niet. Als ik nooit meer iets van iemand hoor, onderneem ik zelf geen verdere actie meer. Als iemand inderdaad in staat is mijn geheugen op te frissen of me een goede en persoonlijke reden geeft om te connecteren, dan accepteer ik de uitnodiging.

Hoe moet ik omgaan met verzoeken om Recommendations van mensen die ik niet echt ken?

Eén van de angsten die mensen ervan weerhoudt te connecteren met mensen waar ze geen persoonlijke relatie mee hebben, is dat ze verzoeken zullen ontvangen om hen Recommendations te geven. En ze willen geen Recommendations geven omdat ze geen persoonlijke ervaringen met hen hebben.

Wat moet je doen als je geconnecteerd bent met iemand hebt die je niet echt kent en die persoon je om een Recommendation vraagt?

Hier is een tip van Bob Burg, de auteur van 'Endless Referrals' en 'The Go Giver':

"Ik heb het er vaak over hoe je 'nee' kunt zeggen op verzoeken die onredelijk zijn of waar je eenvoudigweg geen 'ja' op wilt zeggen. Het gaat erom om dat op zo'n manier te doen dat de ander niet beledigd is en zich niet hoeft te schamen voor zijn of haar verzoek, terwijl je tegelijkertijd niet 'de deur openlaat', zodat ze kunnen terugkomen met een antwoord op je 'tegenwerping'.

Op LinkedIn kan je bijvoorbeeld een Recommendation voor iemand schrijven, die op zijn of haar Profile zal worden getoond. Mooi. Helaas zijn er mensen die je zullen vragen dit te doen, terwijl je nog nooit met hun werk kennis hebt gemaakt of zelfs maar enige uitwisseling van belang met hen hebt gehad.

Ongemakkelijke situatie. Hoe zeg je 'nee' zonder dat de ander zich beschaamd voelt (wat er vaak toe leidt dat hij jou verwijten maakt en boos op je is) en op zo'n manier dat de ander je beslissing zal begrijpen en respecteren? Het volgende zou prima moeten werken:

> *Hallo xxx,*
>
> *Heel erg bedankt dat je me gevraagd hebt een Recommendation op LinkedIn voor je te schrijven. Je lijkt me een geweldige persoon en ik weet zeker dat je werk uitstekend is. Omdat ik geen directe ervaring met je werk heb, is het voor mij natuurlijk moeilijk om een Recommendation te schrijven op een manier alsof ik wel die ervaring heb. Maar ik waardeer het feit dat je me belangrijk genoeg vond om me dit te vragen.*
>
> *Bedankt voor je begrip. Ik denk dat er heel veel mensen zijn die baat hebben gehad bij je werk en blij zullen zijn om een Recommendation te schrijven die is gebaseerd op hun feitelijke ervaringen met je.*
>
> *Met de beste groeten,*
>
> *Bob*

Hoe stel ik een vraag aan mijn hele netwerk?

Optie 1: gebruik Answers

Je kunt 'Answers' gebruiken om een publieke vraag te stellen en/of een vraag aan 200 mensen uit je eerstegraads netwerk te stellen. 'Publiek' betekent dat de vraag op 'Answers' zal worden geplaatst en dat iedereen erop kan reageren. Je kunt er echter ook voor kiezen om de vraag alleen naar je (maximaal 200) Connections te sturen.

Hier volgt hoe je dat moet doen (uit de Help Pages van LinkedIn. Als zij het al goed hebben verwoord, waarom het wiel dan opnieuw uitvinden ☺):

- Klik in het navigatiemenu bovenaan de Home Page op 'Answers'.
- Klik op 'Ask a Question'.
- Typ je vraag in het lege tekstveld.
- Onder het tekstveld voor de vraag kan je 'only share this question with connections I select' selecteren. Doe dat alleen als je niet wilt dat je vraag publiekelijk wordt getoond.
- Vul het formulier volledig in.
- Klik onderaan de pagina 'Ask a Question' op de knop 'Ask Question'.
- Als je niet 'only share this question with connections I select' hebt geselecteerd, zal je antwoord publiekelijk worden getoond. Daarnaast heb je de optie om maximaal 200 connecties te selecteren waar je de vraag naar toe wilt sturen en kan je klikken op 'Finished'.
- Schrijf het e-mailbericht aan je connecties en klik op 'Send'.

Optie 2: schrijf een bericht

Je kunt ook een bericht versturen naar de mensen uit je netwerk. Per bericht dat je verstuurt, kan je maximaal 50 mensen toevoegen (dat waren er eerst maar10).

Hoe moet je dat doen?

- Ga naar 'Inbox/Compose Message' in het linker navigatiemenu (of als alternatief, ga naar 'Inbox', waar je aan de rechterkant bovenaan op de knop 'Compose Message' en dan 'Send message to a connection' klikt).
- Je kunt op twee manieren de ontvangers kiezen:
    - Begin met het typen van de eerste letters van de voornaam of achternaam van één van je eerstegraads contacten en LinkedIn zal je alle namen laten zien die met die letters beginnen.

- Klik op het 'In' logo. Je lijst met Connections verschijnt. Kies de Connections waaraan je het bericht wilt versturen.

Moet ik mijn lidmaatschap upgraden?

De meeste mensen hebben genoeg aan een gratis account. Als je echter een zware LinkedIn gebruiker bent die meer dan 5 Introductions tegelijkertijd 'op weg' wil hebben, direct via InMail met mensen contact wil opnemen of Reference Searches wil kunnen doen, dan moet je upgraden.

Wat krijg je als je voor één van de betalende lidmaatschappen kiest? Dit is een overzicht van de interessantste kenmerken:

Kenmerk / Account type	Personal	Business	Business Plus	Pro	Mijn opmerkingen
Requests for Introductions versturen	5 per keer	15 per keer	25 per keer	40 per keer	Hoewel dit een aantrekkelijke functie lijkt, is het altijd beter om iemand anders een Magische e-mail te laten sturen of een bericht op LinkedIn naar jou en de persoon die je wilt bereiken te laten sturen, omdat de actie dan is geïnitieerd door iemand die de ontvanger kent, in plaats van door jou. Dit zal tot een veel beter resultaat leiden.
InMails versturen	Nee	3 per maand	10 per maand	50 per maand	Een InMail is een direct bericht aan iemand buiten je netwerk die geen lid is van het OpenLink netwerk (zie onder). Dit is een manier om mensen direct te bereiken, maar iedereen kan de optie om via InMail bereikt te kunnen worden, uitzetten. Bovendien werkt een introductie via een wederzijds (vertrouwd) contact altijd beter.
OpenLink Messages ontvangen	Nee	Ongelimiteerd	Ongelimiteerd	Ongelimiteerd	Iedereen met een betalende account kan ervoor kiezen berichten te zenden naar en te ontvangen van anderen met een betalende account (je wordt dan lid van het OpenLink netwerk). Een extra voordeel hiervan is dat mensen buiten je eerste, tweede en derdegraads netwerk je uitgebreide Profile kunnen zien in plaats van een samengevat Profile. Dit is nuttig voor je als je je zichtbaarheid en mogelijkheden tot interactie met anderen wilt vergroten. Je weet echter niet wie er een betalende account heeft en de mensen die je zoekt zitten daar misschien niet tussen. In de meeste gevallen werkt het beter om LinkedIn als research database te gebruiken en vervolgens om een Magische E-mail te vragen.

Kenmerk / Account type	Personal	Business	Business Plus	Pro	Mijn opmerkingen
Toegang tot …	Eerste, tweede en derdegraads netwerk en medeleden van Groups	Gehele LinkedIn netwerk	Gehele LinkedIn netwerk	Gehele LinkedIn netwerk	Dit kan interessant zijn voor recruiters. Voor de meesten van hen zal het echter zinvoller zijn om eerst hun doelen te definiëren en vervolgens hun netwerk in een specifieke richting uit te breiden door middel van Introductions, Magische E-mails en lidmaatschappen van de juiste Groups. Met deze strategie zal je gewoonlijk in staat zijn in de drie eerste graden van je eigen netwerk of in je Groups de mensen te bereiken die je zoekt.
Reference Searches	Nee	Ja	Ja	Ja	Dit is een waardevolle mogelijkheid als je iemand bij zijn oud-collega's wilt natrekken vooraleer deze persoon aan te nemen of er een partnerschap mee aan te gaan.
Search Resultaten	100	300	500	700	Meer dan 100 zoekresultaten is naar mijn mening alleen zinvol voor sales mensen die LinkedIn gebruiken voor het maken van lijsten met prospecten, of voor recruiters. Zelfs in dat geval is het beter om extra zoekcriteria toe te voegen om de resulterende groep kleiner te maken om de voor jou meest interessante personen te vinden.

Kenmerk / Account type	Personal	Business	Business Plus	Pro	Mijn opmerkingen
Saved Searches	Maximaal 3, wekelijkse alerts	Maximaal 5, wekelijkse alerts	Maximaal 7, wekelijkse alerts	Maximaal 10, dagelijkse alerts	Saved Searches die automatisch worden uitgevoerd (alerts) zijn nuttig als je ervan op de hoogte wilt worden gehouden wanneer iemand met een Profile dat interessant voor je is, lid van LinkedIn wordt of verandert van baan. Zij worden echter slechts eenmaal per week uitgevoerd, en als je iemand bent die 'er bovenop' moet zitten, dan heb je een Pro Account nodig.
Uitgebreide LinkedIn network Profiles	Nee	Ja	Ja	Ja	Met een betalende account kan je van iedereen de uitgebreide Profiles zien. Met een gratis account zie je die alleen van mensen in je eerste, tweede en derdegraads netwerk en van de medeleden van je Groups.

Mijn conclusie: op het tijdstip van het schrijven van dit boek is het voor de meeste mensen niet nodig om hun account te upgraden naar een betalend lidmaatschap.

Een overzicht van de meest up-to-date kenmerken en de prijzen kan je vinden op de pagina 'Accounts & Settings'.

Als er maar weinig mensen zijn met een betalend lidmaatschap, hoe verdient LinkedIn dan z'n geld?

Behalve van venture capitalists die in het bedrijf hebben geïnvesteerd, krijgt LinkedIn, voor zover ik weet, geld via de volgende kanalen:

- Google Ads op de Profile pagina's
- LinkedIn Direct Ads (op dit moment alleen in de VS)
- Geposte vacatures
- Marktonderzoeken bij specifieke doelgroepen

Overigens, op de FAQ pagina's stelt LinkedIn: 'LinkedIn is en blijft gratis' (Answer ID 55).

Hoeveel Connections heb ik nodig om LinkedIn voor mij te laten werken?

Dat hangt er natuurlijk van af. Veel connecties met mensen uit de Australische telecom sector, terwijl je werk zoekt in de gezondheidszorg in Boedapest, is natuurlijk minder ideaal.

Maar laten we aannemen dat je de strategieën uit dit boek hebt gevolgd, dan kan ik het eens zijn met Jason Alba, die in zijn boek "I'm on LinkedIn, Now What?" schreef dat 60 Connections genoeg zouden moeten zijn om via hen en hun netwerk je doelen te bereiken.

Waarom een Group op LinkedIn in plaats van de Yahoo of PHP forums?

De belangrijkste reden voor mij is dat mensen moe zijn van het moeten bezoeken van allerlei websites om toegang te krijgen tot alle communities waar ze lid van zijn. Eén website waar ze hun netwerk van contacten en Groups kunnen raadplegen is veel handiger.

Wat er ook gebeurt, is dat mensen denken: 'Ik heb net iemand opgezocht op LinkedIn, en nu kan ik ook wel snel nog even kijken wat er in de Groups gebeurt waar ik lid van ben', terwijl ze er niet aan denken ook nog naar de Yahoo of PHP forums te gaan.

Moet in mijn e-mailadres in mijn naam opnemen?

Dit is een tactiek die wordt toegepast door vele LION's en andere mensen die zoveel mogelijk Invitations willen ontvangen. Als dat is wat je wilt, dan kan je dat doen. Wees echter wel gewaarschuwd dat dit tegen de regels van de LinkedIn User Agreement ingaat. Voor zover ik weet heeft LinkedIn nog niemand van de website verbannen die dit doet, maar ze hebben wel het recht om dat te doen.

Wat is de waarde van Recommendations?

Omdat veel mensen Recommendations krijgen van vrienden en bevriende medewerkers, die niet echt objectief zijn of tamelijk vage Recommendations geven, hebben veel mensen me gevraagd wat de waarde van hun eigen, zorgvuldig geselecteerde, Recommendations is.

Enkele opmerkingen:

- Het is beter om enkele Recommendations te hebben dan geen Recommendations.
- Mensen die Recommendations echt op waarde schatten zullen deze wel lezen. Als de Recommendations vaag en wollig geschreven zijn, zal men ze niet serieus nemen.
- Daarom is het zo belangrijk om een wijziging van een Recommendation te vragen als je er niet gelukkig mee bent. Vraag de andere persoon de Recommendation specifieker te maken.

Conclusie van dit hoofdstuk

In dit hoofdstuk heb je antwoord gekregen op een heel aantal veelgestelde vragen (FAQ's) tijdens onze trainingen, presentaties en webinars. Ik heb ook mijn mening gegeven over enkele verhitte discussie-onderwerpen.

Denk aan deze adviezen als je LinkedIn gebruikt. Grijp ook terug naar dit hoofdstuk als je zelf een vraag hebt.

Heb je geen antwoord gevonden op je vraag, kijk dan op de Help Pages van LinkedIn. Dat is ook de plek waar ik heen ga als ik een vraag heb. Je kunt ook de 'Answers' in LinkedIn raadplegen (subcategorie Using LinkedIn). Als je dan nog geen antwoord hebt gekregen, dan kan je altijd contact opnemen met de LinkedIn Help Desk (ook via de 'Help' functie).

Weinig gekende, maar interessante eigenschappen en gedragingen van LinkedIn

LinkedIn heeft heel veel kleine en grote 'eigenschappen', functies en mogelijkheden die niet algemeen bekend zijn. Of tenminste, niet veel mensen weten hoe ze feitelijk werken.

Dit hoofdstuk geeft meer inzichten in die soms verborgen pareltjes (en soms schijnbaar overduidelijke opties) die een verschil kunnen maken in je ervaring met het gebruik van LinkedIn.

LinkedIn is een derdegraads netwerk

Het is belangrijk om te weten dat LinkedIn alleen de eerste drie graden als jouw netwerk beschouwt. Mensen in de vierde graad of hoger liggen 'buiten je netwerk'. Dat klopt ook wel op een bepaalde manier, want hoe meer graden er tussen liggen, hoe minder persoonlijk connecties zijn en hoe moeilijker het wordt contact met iemand te leggen.

Als je toch mensen die zich buiten je netwerk bevinden wilt bereiken, word dan lid van de Group waar zij ook lid van zijn. Je kunt dan direct contact met hen opnemen (tenminste, als ze de standaard instellingen voor Groups niet hebben veranderd, wat de meeste mensen niet doen).

Verborgen connecties kunnen toch worden gevonden

Op de pagina 'Account & Settings', onder 'Privacy Settings/Connections Browse', kan je de optie uitzetten dat mensen vanuit je Profile door je netwerk kunnen bladeren.

Als iemand echter de Search functionaliteit gebruikt en iemand vindt die in je netwerk zit, dan worden zowel je contact als jijzelf in de zoekresultaten getoond.

Direct contact is nog steeds mogelijk, ondanks Invitation Filtering

Op de pagina 'Account & Settings', onder 'E-mail notifications/Invitation filtering' kan je aangeven wie er contact met je mag opnemen:

1. All invitations (standaard)
2. Only invitations from people who know my e-mail address or appear in my 'Imported Contacts' list.
3. Only invitations from people who appear in my 'Imported Contacts' list.

Sommige mensen kiezen voor 2 of 3, zodat ze alleen Invitations en Messages ontvangen van de mensen die ze kennen.

Ze kunnen echter nog steeds berichten krijgen van de mensen die ze niet kennen. Van wie? Van de leden van de Groups waar ze lid van zijn.

Er bestaat ook de mogelijkheid om het ontvangen van Messages van de andere leden van de Group uit te zetten, maar standaard staat het op 'on'. En bovendien moet je dat veranderen voor elke Group waar je lid van bent.

Als je dat wilt doen, ga dan naar 'Groups', kies een Group, dan het tabblad 'Settings' en vink het vakje onder Member Messages 'Allow members of this Group to send me messages via LinkedIn' uit.

Je hebt veel controle op de e-mails die je via LinkedIn ontvangt en op je algemene gebruikerservaring

LinkedIn biedt vele opties om wel of niet Invitations van mensen te ontvangen, dagelijks of wekelijks e-mails te ontvangen, je Home Page te personaliseren, ...

De meerderheid van deze instellingen kan je vinden op:

- Account & Settings pagina: zie het hoofdstuk 'LinkedIn Functionaliteit'
- Home Page: zie het hoofdstuk 'LinkedIn Functionaliteit'
- Instellingspagina van een Group: Selecteer een Group en dan het tabblad 'Settings'

Stuur Invitations vanuit MS Outlook

De meeste mensen gebruiken de LinkedIn website om Invitations naar anderen te sturen. Je kunt dit echter ook doen vanuit MS Outlook.

Om dat te doen, moet je de gratis Outlook Toolbar downloaden, die je helemaal onderaan elke pagina van LinkedIn kunt vinden, onder 'Tools'.

Als je de Outlook Toolbar hebt geïnstalleerd, wordt er in elke e-mail een klein pictogram met 'Info' getoond.

Als je met de muis over dit pictogram beweegt, kan je deze persoon uitnodigen als hij of zij nog niet in je netwerk zit, of 'in contact blijven' (als je 60 dagen lang niet met de persoon hebt gemaild, krijg je een herinnering).

LinkedIn helpt je de rangschikking van je websites in zoekmachines te verhogen

Zonder het al te technisch te willen maken: websites krijgen hogere rangschikkingen in de zoekresultaten als ze links vanuit populaire websites zoals LinkedIn krijgen. Wat je dus moet doen in je Profile is één, twee of drie van je websites opnemen.

Om je kansen op een hoge rangschikking te doen toenemen, moet je de woorden waarmee je wilt dat mensen je vinden in de naam van de omschrijving zetten. Hoe doe je dat? Kies als categorie 'Other', dan kan je een omschrijving van je website geven zoals je zelf wilt. Dit hoeft dus niet de officiële naam van de website te zijn. Je kunt hier de woorden (of keywords) gebruiken waarmee je wilt worden gevonden. Zorg er wel altijd voor dat het leesbaar blijft.

Deze tactiek kan je toepassen op alle online zakelijke en sociale netwerken waar je lid van bent.

Iedereen in de keten kan alle berichten van een Introduction lezen

Als je iemand een aanvraag voor een introductie stuurt via "Get introduced through a connection", dan moet je altijd twee berichten schrijven: één voor de uiteindelijke ontvanger en één voor je eerstegraads contact.

Wees je er bewust van dat iedereen in de keten beide berichten kan lezen. In de praktijk betekent dit dat je eerstegraads contact het bericht aan hem of haar en het bericht aan de uiteindelijke ontvanger kan lezen, dat je tweedegraads contact je beide berichten kan lezen plus het bericht van je eerstegraads contact aan hem of haar, en dat de uiteindelijke ontvanger jouw twee berichten kan lezen, het bericht van je eerstegraads contact aan je tweedegraads contact en van je tweedegraads contact aan hem of haar.

Wees dus altijd professioneel in alle berichten die je stuurt, of het nu een vraag voor een introductie van jezelf is of een bericht van iemand anders dat je doorstuurt.

Ik geloof dat het Warren Buffet was, die heeft gezegd: 'Het duurt een heel leven om een reputatie op te bouwen, maar slechts enkele seconden om die te vernietigen.' Denk hieraan!

Iemands naam wordt automatisch opgenomen als je Invitations naar Imported Contacts stuurt

Als je contacten hebt opgeladen vanuit webmail, Outlook of een ander e-mailprogramma, dan kan je in 'Imported Contacts' de mensen selecteren aan wie je een Invitation wilt sturen om met je te connecteren.

Zoals ik eerder al schreef, is het ten zeerste aangeraden om hier een (semi) persoonlijk bericht bij te schrijven. Een goed begin voor een persoonlijk bericht is gewoonlijk iemands naam. Het goede nieuws is dat LinkedIn dit al voor je doet. Het slechte nieuws is dat je dit niet ziet (je krijgt geen preview te zien) en dat je de tekst van LinkedIn ook niet kunt veranderen.

Wat schrijft LinkedIn hier dan? Iemands voornaam. Niets meer en niets minder. Dus niet: 'Hi Rob' of 'Rob Smit' maar 'Rob'.

Nu je dit weet, kan je deze informatie op een verstandige manier gebruiken.

Met Groups kan je je zichtbaarheid vergroten

In het eerste hoofdstuk heb ik de Gouden Driehoek van Netwerken uitgelegd: delen/geven, vragen en bedanken. Door op deze drie niveaus actie te ondernemen, zal je je relaties met de mensen in je netwerk versterken.

Groups zijn een uitstekende plek om relaties op te bouwen en tegelijkertijd je visibiliteit en credibiliteit te vergroten. Hoe?

- **Geven/delen**: beantwoord vragen in de Discussion forums en post RELEVANTE artikelen in de News secties.
- **Vragen**: vraag om hulp en informatie. Zorg er altijd voor dat je eerst goed over de vraag hebt nagedacht. Dan zullen mensen je graag helpen en van de kans gebruik maken om een relatie met jou en met andere leden op te bouwen.
- **Bedanken**: bedank iemand publiekelijk in een lopende Discussion of open er een nieuwe Discussion voor. Wees specifiek en genereus (maar overdrijf het niet).

Het aantal Groups waar je lid van kunt worden is gelimiteerd

Niet veel mensen weten dat het aantal Groups waar ze lid van kunnen worden gelimiteerd is tot 50. In het begin van LinkedIn was er geen limiet, en dus moesten een aantal mensen enkele Groups verlaten toen LinkedIn deze limiet instelde.

Sommige mensen zullen dit vervelend vinden, maar de meesten van ons zullen lid worden van slechts enkele Groups. Naar mijn mening is het beter om een actief lid in enkele Groups te zijn dan een passief lid van honderden Groups.

Groups hebben een aanvankelijke limiet van 1000 leden

Als je lid wilt worden van een Group, maar niet onmiddellijk wordt geaccepteerd, dan kan het zijn dat de Group de limiet van 1000 leden heeft bereikt. Dit is niet echt een probleem, maar de Group Manager moet eerst aan het management van LinkedIn vragen om deze limiet te verhogen, en dat kan enkele dagen duren. Als je lidmaatschap dus nog niet is goedgekeurd, kijk dan even naar het aantal leden. Als dat rond de 1000 is, dan moet je gewoon wat geduld uitoefenen.

Door misbruik van Answers kan je worden geblokkeerd om ooit nog weer vragen te stellen

Als je Answers gebruikt om je eigen diensten te promoten of vacatures aan te bieden, kan je voorgoed van Answers worden geweerd.

Als je een vraag stelt, kunnen andere mensen die vraag namelijk 'flaggen'.

Dit werkt als volgt (uit de LinkedIn Help Pages):

Met Flagging in 'Answers' kunnen jij en andere LinkedIn leden ervoor zorgen dat alle gestelde vragen (en gegeven antwoorden) nuttig en waardevol zijn. Met Flagging worden de standaards gesteld waarmee Answers functioneert. Als je denkt dat de inhoud van een vraag of antwoord ongepast is voor LinkedIn Answers, dan kan je die vraag 'flaggen' met de links 'Flag question as ...' of 'Flag answer as ...', direct onder de tekst. Als je een vraag 'flagt', kan je in een uitklapmenu de reden hiervoor selecteren. Enkele redenen om een item te 'flaggen' kunnen zijn:

- *Het is een advertentie.*
- *Het bevat ongepaste inhoud.*
- *Het is een spam boodschap van iemand die zijn netwerk wil vergroten.*
- *Het is een duplicaat van een andere vraag door dezelfde persoon.*
- *Het is een bericht van iemand die een baan zoekt.*

Leden die de vraag hebben gesteld, kunnen op elk moment het commentaar "flaggen" en verwijderen. Leden die een vraag "flaggen" kunnen meer dan één "flag" nodig hebben om de vraag te laten verwijderen. Gebruikers die veel vragen stellen die worden "geflagd" kunnen voorgoed uit Answers worden geweerd.

Hoe je een Expert kunt worden

De eerste stap om mogelijk Expert Points te gaan verdienen, is het beantwoorden van vragen in Answers. Degene die de vraag heeft gesteld kan vervolgens het beste antwoord belonen met een Expert Point. Je verdient dus geen Expert Points met alleen het beantwoorden van vragen, want slechts één persoon per vraag kan een Expert Point krijgen, namelijk degene met het beste antwoord volgens de mening van de vragensteller.

Opmerking: je kunt geen Expert Points verdienen met het beantwoorden van vragen in privé berichten of in Discussions (in Groups), maar alleen in Answers.

Waar kan ik de Invitations en Messages zien die ik heb ontvangen?

Je zou kunnen verwachten dat je alle Invitations en Messages die je hebt ontvangen in je Inbox terug kunt vinden. LinkedIn werkt hier net iets anders dan een email programma: als je een bericht hebt beantwoord, wordt het automatisch naar een andere map overgeplaatst. Je kunt deze 'mappen' terugvinden onder 'Inbox' in het linker navigatiemenu. Soms is het moeilijk om je te herinneren of je nu een Invitation of een Message had verzonden of ontvangen. In dat geval moet je misschien in beide mappen kijken.

Voor Messages: klik op 'Messages'. Hier worden standaard de door jouw ontvangen Messages getoond. Bovenaan de pagina (maar in hetzelfde 'frame') zie je het woord 'Sent'. Als je daarop klikt zie je alle Messages die je hebt verzonden.

Voor Invitations: klik op 'Invitations'. Hier worden standaard de door jouw ontvangen Invitations getoond. Bovenaan de pagina (maar in hetzelfde 'frame') zie je het woord 'Sent'. Als je daarop klikt zie je alle Invitations die je hebt verzonden.

Wat gebeurt er als ik een Connection verwijder? Wordt hij of zij op de hoogte gebracht?

Er zijn gevallen waarin je één of meer van je Connections wilt verwijderen. Eén van de redenen hiervoor zou kunnen zijn dat er iets is gebeurd tussen jullie beiden, dat je van baan verandert of dat je je zelf aan het heroriënteren bent en niet langer meer met een bepaalde sector wilt worden geassocieerd. Persoonlijk vind ik alleen de eerste reden voldoende gegrond voor het verwijderen van een Connection. In de andere gevallen weet je maar nooit hoe iemand je in je nieuwe situatie zou kunnen helpen.

Voordat ik je laat zien hoe je een Connection kunt verwijderen, wil ik een andere vraag beantwoorden die veel mensen stellen, namelijk: 'Ik wil geen

Connection meer met die persoon, maar ik wil niet dat hij daarvan verwittigd wordt want ik wil geen problemen met hem.'

Het antwoord is: de persoon die je hebt verwijderd, wordt hiervan niet op de hoogte gebracht.

Dit zijn de stappen om iemand te verwijderen:

1. Klik in het linker navigatiemenu op 'Contacts'.
2. Op de nieuwe pagina zie je rechts bovenaan: 'Remove Connections'.
3. Kies de Connections die je wilt verwijderen en klik op de knop 'Remove connections'. Ze zullen worden toegevoegd aan je lijst met 'Imported Contacts', voor het geval dat je ze later opnieuw wilt uitnodigen.

Kan ik de contactgegevens van mijn Connections downloaden?

Ja, dat kan je. Er zijn twee manieren:

1. Individuen: ga naar hun Profile. Rechts bovenaan zie je enkele pictogrammen. Het eerste is een printer, het derde een kaartje met een groene pijltje. Als je daar met de muis overheen gaat, zie je de tekst 'Download V-Card'. Klik op dit pictogram. Klik vervolgens op 'Save' om dit als een nieuwe V-Card (of virtueel visitekaartje) in je e-mailprogramma op te slaan.

2. Al je Connections:
    a. Ga in het linker navigatiemenu naar 'Contacts' of 'Connections' (beide brengen je naar dezelfde pagina).
    b. Ga naar de onderkant van de pagina. Daar zie je 'Export Connections'. Klik hierop.
    c. Kies het e-mailprogramma dat je gebruikt en klik op 'Export'.
    d. Download het bestand (misschien moet je in je browser hiervoor toestemming geven).
    e. Lees de instructies op de LinkedIn pagina om uit te vinden hoe je het bestand in je e-mailprogramma moet importeren.

Tijdbesparende tip: de enige gegevens die je krijgt zijn voornaam, achternaam, e-mailadres, bedrijf en functietitel. Wil je meer contactgegevens zonder daar iets extra's voor te moeten doen, download dan de Plaxo Toolbar voor je e-mailprogramma (zie het hoofdstuk 'Gratis tools die je tijd besparen als je met LinkedIn werkt.' '). Als de andere persoon ook lid van Plaxo is, zullen alle gegevens automatisch worden ingevuld. Dit werkt alleen bij leden van Plaxo, en dus niet voor al je Connections. Maar als je veel Connections op LinkedIn hebt, kan dit je uren werk schelen!

Wat gebeurt er als ik 'I Don't Know This Person' kies wanneer ik een Invitation ontvang?

Als iemand 5 keer het antwoord 'I Don't Know This Person' heeft gekregen, worden zijn of haar mogelijkheden om nog Invitations te sturen zeer beperkt. Diegene kan dan alleen nog maar mensen uitnodigen van wie hij of zij het e-mailadres weet. Op deze manier probeert LinkedIn spamming te beperken.

Heel vaak kan ik de naam niet zien van de persoon onder 'Who viewed my profile'

Sommige mensen willen graag weten wie hun Profile heeft bezocht. Maar ze zien heel vaak alleen maar omschrijvingen, en geen namen. Enkelen van hen betalen dan voor een upgraded account. Dat helpt echter niets, want zelfs als je betaalt, dan nog krijg je deze informatie niet te zien.

Hoe werkt dit dan wel? Iedereen kan zelf kiezen welke informatie jij te zien krijgt als hij jouw Profile bezoekt. Dit maakt deel uit van het privacybeleid van LinkedIn.

Waar kan je deze opties vinden?

- Ga naar 'Account & Settings'
- Ga onder 'Privacy Settings' naar 'Profile Views'
- Onder 'What will be shown to other LinkedIn users when you view their profiles?' zijn er dan drie opties:
    - Show my name and headline
    - Only show my anonymous Profile characteristics, such as industry and title (standaard)
    - Don't show users that I've viewed their Profile

Omdat de tweede optie de standaard optie is en bijna niemand de standaard instellingen verandert, zult je vrijwel nooit de naam zien van degene die je Profile heeft bekeken.

Hoe ben ik aan twee (of meer) accounts op LinkedIn gekomen?

Soms ontdekken mensen dat ze twee of meer accounts hebben, zonder te begrijpen hoe dat is kunnen gebeuren. Meestal is het één van de volgende twee scenario's:

1. Op een bepaald moment hebben ze van iemand een Invitation ontvangen op hun privé e-mailadres, hierop geantwoord en een Profile aangemaakt. Vervolgens zijn ze dat vergeten. Een jaar later hoorden ze hun collega's over LinkedIn praatten en besloten ze een Profile op LinkedIn aan te maken met het e-mailadres van hun werk.
2. Ze hebben een Profile op LinkedIn gemaakt met het e-mailadres van hùn werk en hebben al enkele Connections. Een paar weken later stuurt iemand hen een Invitation naar hun privé e-mailadres. Ze accepteren die en zonder het zich te realiseren, maken ze een nieuw Profile.

De oorzaken van de meervoudige accounts zijn dus verschillende e-mailadressen. E-mailadressen worden op LinkedIn gebruikt als 'identificatiemiddel'.

Om dit te voorkomen, moet je al je e-mailadressen in één Profile zetten.

Als je al meer dan één Profile hebt, dan raadt LinkedIn je aan om er één uit te kiezen, de mensen van de andere account(s) opnieuw uit te nodigen, dan naar "Account & Settings" te gaan en "Close your Account" te kiezen, met als reden: "I have a duplicate account".

Wat gebeurt er met mijn contacten die ik importeer? Kan iedereen die zien?

Nee. Alleen jij kunt die zien.

LinkedIn is ook licentiehouder van het TRUSTe Privacy Program. In haar Privacybeleid verklaart LinkedIn zich aan de volgende belangrijke privacyprincipes te houden:

- LinkedIn zal nooit persoonlijk identificeerbare persoonsgegevens voor marketing doelen aan derde partijen verhuren of verkopen.
- LinkedIn zal nooit zonder jouw toestemming je contactgegevens aan andere gebruikers geven.

- Alle “gevoelige gegevens” die LinkedIn van je heeft zullen worden beveiligd met alle protocols en technologieën die beschikbaar zijn.

Hoe kan ik mijn evenement aan de Events toevoegen?

Tijdens het schrijven van dit boek was de Event functionaliteit op LinkedIn net nieuw. Ik verwacht dat LinkedIn deze functionaliteit in de nabije toekomst zal uitbreiden.

Om een evenement toe te voegen:

- Ga je in het linker navigatiemenu naar ‘Applications’.
- Klik je op het + teken.
- Klik je op ‘Events’.
- Klik je bovenaan de nieuwe pagina op ‘Add Event’

Hoe kan ik veranderen wie er contact met me kan opnemen?

Sommige mensen willen alleen Invitations ontvangen van mensen die ze kennen of via Introductions in hun netwerk. LinkedIn laat je kiezen van wie je Invitations en Messages wilt ontvangen.

Hoe kan je deze instellingen veranderen?

- Ga naar ‘Account & Settings’ (bovenaan de pagina)
- Zoek dan naar ‘E-mail notifications’
  - Klik op ‘Contact Settings’
    - What type of messages will you accept?
      - **I’ll accept Introductions and InMail** (standaard): InMail betekent dat mensen met een upgraded account contact met je kunnen opnemen, zelfs als je hen niet kent.
      - **I’ll accept only Introductions**: mensen die je niet kent kunnen je alleen bereiken via jouw eerstegraads netwerk.
    - De instellingen op de rest van de pagina zijn er om mensen meer informatie te geven over waarin je bent geïnteresseerd. Het beïnvloedt niet wie er contact met je kan opnemen.

- Klik op 'Invitation Filtering'
    - **All invitations (Recommended):** Standaard.
    - **Only invitations from people who know my email address or appear in my 'Imported Contacts' list**: als je teveel ongewenste Invitations krijgt, dan kan je deze optie kiezen. Als je e-mailadres echter gemakkelijk te construeren is, dan zullen sommige mensen het toch nog via deze weg proberen.
    - **Only invitations from people who appear in my 'Imported Contacts' list**: als je deze optie kiest, zorg er dan voor dan je alle mensen uit je e-mailprogramma hebt geïmporteerd waarmee je contact wil.

Door te spelen met combinaties van deze instellingen, zal je de Invitations en Introductions ontvangen die je wilt en de rest er uit kunnen filteren.

Waarom staan sommige posts in Discussions hoger dan andere?

Gewoonlijk zijn Discussions gesorteerd op datum. De meest recente post of commentaar staat bovenaan.

Group Managers hebben echter de mogelijkheid om bepaalde posts 'featured' te maken (dit zie je bovenaan de titel van de post). De 'featured' posts worden als eerste getoond, en vervolgens de meest recente posts/ commentaren.

Waarom werkt LinkedIn met een (verwarrende) gebiedsindeling, in plaats van met de stad waar mijn bedrijf is gevestigd?

Ik heb deze vraag vooral van mensen uit België gekregen. België is een klein, maar ingewikkeld land, en is onderverdeeld in een Nederlandstalig en een Franstalig gebied. Door de gebiedscode van LinkedIn schijnen sommige bedrijven die zich in het Nederlandstalige deel bevinden nu ingedeeld te zijn bij het Franstalige gebied, en omgekeerd. Dit kan heel verwarrend werken, in het bijzonder als potentiële klanten met behulp van deze gebiedscode op zoek gaan naar een leverancier in hun eigen taalgebied.

Het lijkt er voorlopig niet op dat LinkedIn hier iets aan zal gaan veranderen. De reden hiervan is dat zij deze gebiedscode gebruiken vanwege beveiligings- en privacy redenen.

Tip: als je niet tevreden bent met de gebiedsindeling, verander dan je locatie in een andere stad. Deze moet echter niet té ver weg liggen, omdat dat je zoekresultaten kan beïnvloeden bij het gebruik van de locatieparameter in je geavanceerde zoekopdrachten.

Conclusie van dit hoofdstuk

Je hebt in dit hoofdstuk inzichten verworven in enkele mogelijkheden, eigenschappen en gedragingen van LinkedIn. Denk aan deze adviezen als je LinkedIn gebruikt. Kom ook nog eens terug naar dit hoofdstuk als je zelf een vraag hebt.

Heb je geen antwoord gevonden op je vraag, kijk dan op de Help Pages van LinkedIn. Dat is ook de plek waar ik heen ga als ik een vraag heb. Je kunt ook de 'Answers' in LinkedIn raadplegen (subcategorie Using LinkedIn). Als je dan nog geen antwoord hebt gekregen, dan kan je altijd contact opnemen met de LinkedIn Help Desk (ook via de 'Help' functie).

De laatste updates over LinkedIn kan je vinden op de LinkedIn blog: http://blog.linkedin.com

Omdat LinkedIn een tool of hulpmiddel is, en niet een doel op zich, zou je er zoveel mogelijk uit moeten halen in zo weinig mogelijk tijd. Daarmee bedoel ik niet dat je je antwoorden en berichten aan mensen moet automatiseren, maar dat er tools zijn die je kunnen helpen dingen sneller te doen. En het goede nieuws is: er zijn heel veel gratis tools! Je vindt ze in het volgende hoofdstuk.

Gratis tools die je tijd besparen als je met LinkedIn werkt.

Heel veel mensen willen niet met LinkedIn en andere online netwerken werken omdat ze daar de tijd niet voor hebben.

Ik hoop dat je ondertussen de onschatbare waarde van LinkedIn bent gaan inzien. En ook dat het niet zo veel van je tijd vraagt. Er zijn natuurlijk de initiële stappen om je netwerk op te bouwen. Maar daarna kan je van de resultaten genieten doordat je heel snel de juiste mensen zult kunnen vinden.

Als je echter heel veel Messages ontvangt en een groot netwerk aan het bouwen bent, dan zijn extra tools, die je kunnen helpen meer in minder tijd te doen, meer dan welkom.

In dit hoofdstuk zal ik je enkele van de tools laten zien die LinkedIn biedt, plus enkele andere tools die je online netwerkleven stukken gemakkelijker maken. Alle in dit hoofdstuk genoemde tools zijn gratis.

LinkedIn Tools

LinkedIn Outlook Toolbar

Download de gratis Outlook Toolbar die je onderaan elke pagina van LinkedIn kunt vinden onder 'Tools'.

Als je de Outlook Toolbar hebt geïnstalleerd, heb je de volgende extra mogelijkheden in Outlook:

- **De knop 'Dashboard'**: overzicht van acties
- **De knop 'Grab'**: als je de e-mailhandtekening van iemand selecteert en dan op de knop 'Grab' klikt, wordt er automatisch een nieuwe contactkaart gemaakt, waarop de gegevens van de handtekening zijn ingevuld. Enkele opmerkingen over deze functie:
    - Adres, stad, staat/provincie en land worden niet altijd meegenomen. Maar voor alle andere contactgegevens werkt dit bijna altijd perfect!
    - Je kunt dit doen vanuit het Preview venster en vanuit een geopende e-mail.
    - Om de map te veranderen waarin de nieuwe contactkaarten worden opgeslagen: klik op'Dashboard', 'Preferences' en dan 'General'

- **Zoekbalk**: zoek direct vanuit Outlook in LinkedIn. De LinkedIn website zal de resultaten laten zien in Outlook.
- **'Info' pictogram in e-mails**: Als je met de muis over dit pictogram beweegt, kan je deze persoon uitnodigen als hij of zij nog niet in je netwerk zit, of 'in contact blijven' (als je 60 dagen lang niet met de persoon hebt gemaild, krijg je een herinnering).

LinkedIn Browser Toolbar

Download de gratis Internet Explorer of Firefox Toolbar die je onderaan elke pagina van LinkedIn kunt vinden onder 'Tools'.

Na het installeren van de Toolbar heb je de volgende tools tot je beschikking in je browser:

- **Search bar**: zoeken in LinkedIn vanuit de toolbar (zodat je niet eerst naar de website hoeft te gaan).
- **Bookmarks**: Profiles op LinkedIn die je als favoriet hebt opgeslagen, kan je van hieruit beheren.
- **JobInsider**: opent een nieuw frame in je browser. Bij het zoeken naar vacatures in je gewone browservenster kan je dit frame gebruiken om te bekijken hoe je Connections zijn met de mensen in het betreffende bedrijf of organisatie.

Widgets

LinkedIn Widgets zijn kleine toepassingen die andere organisaties kunnen gebruiken op hun website of blog. Je kunt ze vinden onderaan elke pagina van LinkedIn, onder 'Tools/Developers'. Ten tijde van het schrijven van dit boek waren er nog niet veel Widgets, maar het schijnt dat LinkedIn er in de toekomst meer wil gaan aanbieden. Dit zijn de momenteel beschikbaar Widgets:

Company Insider

Omschrijving van de LinkedIn website: *'Laat je gebruikers ontdekken wat voor connecties ze hebben met bedrijven op je site. Geef een bedrijfsnaam door en wij laten je zien hoeveel mensen de gebruiker daar kent, plus enkele voorbeeldnamen. Dit is een fantastische widget voor news sites en blogs, waarmee de lezers direct een verbinding kunnen maken met de bedrijven die je noemt. Het werkt ook goed voor vacaturesites, waar de banenzoekers direct kunnen zien wie ze kennen bij het bedrijf met de vacature. Gebruik het overal waar je professioneel netwerken in je site wilt injecteren.'*

Klinkt interessant, maar misschien meer voor portaalwebsites dan voor de meeste organisaties.

Share on LinkedIn

Omschrijving van de LinkedIn website: *"Voeg een Share on LinkedIn link toe aan je website of blog, waarmee je gebruikers je content kunnen delen met hun LinkedIn connecties en netwerken. Dit geeft je content vleugels: één gebruiker bezoekt je site en kan letterlijk tientallen, honderdtallen of duizenden andere mensen daarover informeren. Werkt fantastisch voor news sites, blogs en andere contentrijke sites.*

Om je zichtbaarheid te vergroten zou dit een goede Widget kunnen zijn. Als je deze Widget op je blog of je eigen website plaatst en je LinkedIn connecties gebruiken het, dan creëer je extra zichtbaarheid.

Tools die het leven op LinkedIn gemakkelijker maken

Naast de tools die LinkedIn zelf biedt, zijn er nog andere tools die je kunnen helpen tijd te besparen en je resultaten te vergroten op LinkedIn.

Texter

Dit is een kleine tool waarmee je stukken tekst kunt vervangen door wat een 'hotstring' wordt genoemd. Wat betekent dit in de praktijk?

Herinner je je nog de tip over hoe je moet omgaan met Invitations van mensen die je niet kent? Dit is de tekst die ik zelf gebruik:

> *Hallo xxx,*
>
> *Bedankt voor je uitnodiging om te connecteren!*
>
> *Helaas ontmoet ik zoveel mensen, dat ik niet altijd 'naam en gezicht bij elkaar kan brengen'.*
>
> *Kun je me helpen door me te vertellen waar we elkaar hebben ontmoet?*
>
> *Bedankt en ... have a great networking day!*
>
> *Jan*

Ik houd niet van zinloos repetitief werk en het kost ook tijd om dit bericht te schrijven. Daarom heb ik Texter gebruikt om een 'hotstring' te maken die ik link-inv heb genoemd. Als ik 'link-inv' typ en dan op 'Enter' druk, verschijnt bovenstaande tekst. Ik hoef alleen nog maar xxx te vervangen door de naam van de persoon die me uitgenodigd heeft.

Je kunt deze hotstrings natuurlijk ook gebruiken voor andere stukken tekst die je gebruikt voor je dagelijks werk in eender welk programma.

Texter kan je gratis downloaden van de Lifehacker website: http://lifehacker.com/software/texter/lifehacker-code-texter-windows-238306.php

Met dank aan lifehacker Bert Verdonck (www.bertverdonck.com) voor het vermelden van deze tool.

Google Alerts

Google Alerts geeft je updates over specifieke onderwerpen of mensen elke keer als er op het web iets over hen wordt gepubliceerd.

Het instellen van deze tool is heel gemakkelijk:

- Ga naar www.google.com/alerts
- Stel vervolgens de volgende parameters in:
    - Search term: onderwerp of persoon waarover je informatie wilt ontvangen
    - Type: de plaatsen waar de Google Alerts voor je moeten zoeken (blogs, video's, web, ...)
    - Hoe vaak: onmiddellijk, dagelijks of wekelijks
    - E-mailadres: je ontvangt de alert per e-mail

Waarvoor zou je dit kunnen gebruiken? Om nieuws te volgen over een prospect of een bedrijf waarvoor je wilt werken. Of updates over een expert, informatie voor je project of trends in de markt.

Het helpt je ook om informatie te hebben die je kan delen met je netwerk tijdens het onderhouden van je contacten. Je hebt dan iets om over te praten of te schrijven als je contact met iemand opneemt.

Google Keyword Tool

LinkedIn is een fantastische tool om je meer zichtbaarheid te geven en het merk van de organisatie waarvoor je werkt of je eigen 'personal brand' op te bouwen.

Om de kans dat je gevonden wordt op LinkedIn of op het web toe te doen nemen, is het belangrijk om de juiste woorden te gebruiken. Vaak zijn we 'verblind' door het jargon dat we gebruiken in ons eigen bedrijf of onze eigen sector. Deze woorden worden misschien wel nooit gebruikt door de mensen die op zoek zijn naar onze expertise.

Om je hiermee te helpen is er de Google Keyword Tool. Deze tool wordt vooral gebruikt voor het vinden van synoniemen en alternatieven voor Google Ads, maar je kunt hem ook gebruiken voor het vinden van de juiste woorden voor je Profile!

Deze gratis tool kan je vinden op: https://adwords.google.com/select/KeywordToolExternal (of zoek naar 'Google Keyword Tool').

Eén opmerking: overdrijf niet. Prop je Profile niet vol met keywords. Mensen moeten het nog steeds kunnen lezen.

Tools die je virtuele netwerkleven gemakkelijker maken

Vele interacties in je virtuele netwerkleven vinden plaats per e-mail. Hieronder volgen enkele tools die je kunnen helpen daar minder tijd aan te spenderen en er effectiever in te zijn.

Plaxo Toolbar

Plaxo is tegenwoordig het meest bekend vanwege het online netwerkplatform Plaxo Pulse (zie ook de Appendix over andere netwerkwebsites). Daarnaast is er ook de gratis Plaxo Toolbar die je extra tools biedt voor je e-mailprogramma (Outlook, Outlook Express, Mac en Mozilla Thunderbird). De interessantste tools van Plaxo wil ik hier met je delen:

- **Automatisch invullen van contactgegevens op een contactkaart**: als je een nieuwe contactkaart (of V-Card) opent en alleen het e-mailadres invult, zal Plaxo opzoeken of deze persoon wel of niet lid van Plaxo is. Zo ja, dan worden alle contactgegevens die hij in zijn Plaxo profiel heeft ingevuld gekopieerd naar de contactkaart. Hierdoor hoef je niet langer de contactgegevens van mensen handmatig in te voeren. Dit is handig als je iemands contactgegevens van LinkedIn hebt gedownload, of als je iemand persoonlijk hebt ontmoet en visitekaartjes hebt uitgewisseld.
- **Automatische updates van wijzigingen**: als iemand zijn of haar contactgegevens wijzigt op Plaxo, wordt dit automatisch bijgewerkt in alle adresboeken die met die persoon zijn verbonden. Dus zijn contactgegevens in jouw e-mailprogramma worden aangepast zonder dat jij iets hoeft te doen.
- **Adresboek opbouwen**: vind alle mensen waarmee je ooit e-mails hebt uitgewisseld die nog niet in je map met contacten zitten. Deze tool zal al je e-mails doorzoeken naar e-mailadressen die nog niet in je contact-map (map met contactkaarten in je e-mailprogramma) zitten. Je kunt vervolgens contactkaarten maken voor deze mensen. Als ze ook lid van Plaxo zijn, worden hun contactgegevens automatisch ingevuld.
- **Om updates vragen**: je kunt de mensen in je adresboek vragen om te controleren of de gegevens die je van hen hebt nog steeds

up-to-date zijn. Dit kan je ook als laatste stap toevoegen aan het opbouwen van je adresboek. Denk er aan het standaardbericht te vervangen door een (semi)persoonlijk bericht!

Opmerking: Plaxo gebruikt e-mailadressen als unieke sleutel. Het is echter mogelijk om meerdere e-mailadressen te hebben voor één profiel. Het is dus een goed idee om steeds een werk e-mailadres en een privé e-mailadres te koppelen aan je Plaxo account. Je kan dan nog steeds aan je Plaxo account als je van werk verandert. Je kan dan je nieuwe gegevens ingeven en dankzij Plaxo beschikken al je contacten direct over de juiste informatie.

De gratis Plaxo Toolbar kan je downloaden op de website www.plaxo.com. Helemaal onderaan de pagina vind je de toolbar onder 'Downloads'.

Xobni

Een andere tool waarmee je je efficiëntie bij het communiceren met mensen enorm kunt vergroten, is Xobni. Dit is een gratis tool dat op het moment van het schrijven van dit boek alleen beschikbaar is voor Outlook.

Xobni ('Inbox' achterstevoren) legt een andere 'laag' over je e-mails. Outlook zelf vertrekt vanuit de e-mail als centraal gegeven, terwijl bij Xobni de contactpersoon centraal staat.

Wat betekent dit?

Na het installeren van Xobni zie je een extra toolbar naast je e-mails staan. In deze toolbar kan je gegevens vinden over de afzenders van de e-mail:

- **Contact details**: contactgegevens uit de handtekeningen van e-mails en van LinkedIn, als deze persoon een Profile op LinkedIn heeft.
- **Network**: de mensen die in de 'to' or 'cc' velden staan van de e-mails die je met deze persoon hebt uitgewisseld. Hoewel het niet zeker is dat ze elkaar feitelijk kennen, is er een grote kans dat dat wel het geval is.
- **Conversations**: e-mails die je met elkaar hebt uitgewisseld, onafhankelijk in welke map je die hebt opgeslagen.
- **Files Exchanged**: bestanden in bijlagen van de e-mails die je met elkaar hebt uitgewisseld, onafhankelijk in welke map je die hebt opgeslagen.
- **E-mails exchanged**: je ziet een grafiek van de tijdstippen waarop je deze persoon e-mails hebt gestuurd of waarop jij van deze persoon e-mails hebt ontvangen. Deze informatie kan je gebruiken om te zien wat het beste tijdstip is om iemand te bellen (= de tijdstippen waarop hij de meeste e-mails heeft gestuurd, toen zat hij namelijk aan zijn bureau).

- **Schedule time with**: als je hierop klikt, kijkt Xobni in je Outlook Agenda wanneer je in de komende tijd vrije momenten hebt en verzamelt die in een e-mail, die je aan de andere persoon kunt versturen.

Het is duidelijk dat je met deze tool een andere blik op je e-mails krijgt en dat het gemakkelijker wordt om contact met iemand op te nemen en de e-mails en bestanden die je met elkaar hebt uitgewisseld te achterhalen. Omdat Xobni gebaseerd is op e-mailadressen, moet je wel uitkijken met de e-mails en bestanden die het je toont, omdat de andere persoon misschien wel meer dan één e-mailadres gebruikt in de communicatie met jou.

HelloTxt

Als je de 'Status Update' niet alleen op LinkedIn, maar ook op andere platformen zoals Plaxo, Facebook, Twitter en MySpace gebruikt, kan je tijd besparen met een tool dat je voor alle platforms tegelijkertijd de updates stuurt.

Eén van de websites die deze dienst gratis aanbiedt is: http://hellotxt.com

Met dank aan Joel Elad, die deze tool noemde in 'LinkedIn for Dummies'.

TinyURL

Het posten van een URL of een website waar mensen interessante informatie kunnen vinden (bijvoorbeeld in Discussions, Answers of Status Updates op LinkedIn, op je eigen website of overal elders) is soms moeilijk als het een hele lange URL is.

De URL kan worden afgebroken en vaak tast dit ook de leesbaarheid van een post aan.

Op de website TinyURL (http://tinyurl.com/) kan je een lange URL omzetten in een korte. Dit is gratis.

Meer tools die je kunnen helpen effectiever te zijn in je netwerk- en referral strategie kan je vinden op de Networking Coach website: www.networking-coach.com. We voegen op regelmatige basis interessante tools toe, dus bezoek de site zo nu en dan, of volg de updates op de blog (www.janvermeiren.com)

Bezoek ook eens onderstaande websites en blogs voor meer tools die jouw (netwerk)leven gemakkelijker maken:

- www.lifehacker.com
- www.lifehacking.nl
- www.martijnaslander.nl
- http://blog.bertverdonck.com

Je beschikt nu over enkele tools die je kunnen helpen. Moet je ze gebruiken? Nee, je MOET niets, maar weet dat de in dit hoofdstuk genoemde tools gratis zijn en je veel tijd kunnen besparen.

Epiloog

Je weet nu waarom je op LinkedIn zit (of zou moeten zitten), wat het is (en niet is) en hoe je het moet gebruiken om je doelen sneller dan ooit tevoren te bereiken.

Kennis alleen is echter niet genoeg. Het is aan jou om actie te ondernemen.

Denk eraan dat de meeste mensen pas beginnen hun netwerk op te bouwen als het al te laat is: ze beginnen met het opbouwen ervan als ze het dringend nodig hebben. Andere mensen voelen deze 'nood', ze voelen de urgentie, zelfs online. En dat stoot hen af, in plaats van dat je hen aantrekt.

Begin daarom nu met het opbouwen van je netwerk. Als je dat doet en de 5 fundamentele principes van netwerken volgt en de strategieën uit dit boek gebruikt, dan is succes gegarandeerd!

LinkedIn is niet de enige netwerkwebsite. Er zijn nog meer online business netwerken. Heel veel zelfs. Ik heb er een aantal van geselecteerd die nuttig voor je zouden kunnen zijn om te gebruiken naast LinkedIn. Ondanks dat ze misschien andere functionaliteiten hebben, zijn de fundamentele netwerkprincipes en het 'beginnen met je doel voor ogen' van toepassing op al deze websites. Je vindt ze in de Appendix.

Zoals ik reeds schreef, is een boek over een website altijd risicovol: het boek kan al verouderd zijn op het moment dat het uitkomt. Maar voor mij is het belangrijk dat je de meeste waarde uit dit boek en uit LinkedIn haalt. Ik zal daarom de bijgewerkte onderdelen van dit boek en extra tips publiceren zodra er iets verandert of ik nieuwe inzichten krijg.

Om deze updates en de extra tips gratis te ontvangen, samen met een gratis LinkedIn Profile Self Assessment om te kijken hoe goed je Profile is, kan je je registreren op www.hoe-linkedin-nu-echt-gebruiken.com/updates.html. Je krijgt dan ook een overzicht met nog meer hulpmiddelen om effectiever en efficiënter te netwerken. Als je nog meer uit je LinkedIn lidmaatschap wil halen, kijk dan ook eens op www.hoe-linkedin-nu-echt-gebruiken.com onder de hoofding "Heb je het boek gekocht? Haal nog meer uit LinkedIn".

Om je te helpen nog meer uit dit boek te halen en nog betere resultaten te behalen, zijn we op LinkedIn de 'Global Networking Group' begonnen: (http://www.linkedin.com/groups?home=&gid=1393777). Deze Group staat open voor iedereen die de regels van deze Group wil volgen. Dus sluit je aan en ervaar de kracht van netwerken via LinkedIn!

Ik wens je heel veel succes!

Jan

PS: als je een contract ter waarde van 100 miljoen euro hebt afgesloten of je droombaan hebt gevonden door de tips in dit boek toe te passen, dan hoef je geen cheque te sturen. Als je een Recommendation op LinkedIn schrijft waarin je vertelt hoe de tips voor jou hebben gewerkt dan maak je me al gelukkig ☺.

Appendix: andere online business netwerken

LinkedIn is natuurlijk niet het enige online business netwerk. Op het tijdstip van het schrijven van dit boek was het echter wel de website met de meeste leden, en de meest laagdrempelige om lid van te worden. Hierdoor zijn nu mensen uit de hele wereld, uit verschillende sectoren en met verschillende functies, lid van LinkedIn. Daarom is dit boek aan LinkedIn gewijd.

Er zijn echter nog veel, heel veel, andere online zakelijke netwerken en sociale netwerken. LinkedIn heeft, zoals vele andere websites, zijn oorsprong in de VS, maar ook in Europa en Azië zijn er heel populaire online zakelijke netwerken. An De Jonghe heeft een lijst gemaakt van de meeste ervan, in haar boek "Social Networks Around the World". In dit hoofdstuk zal ik er slechts enkele van opnoemen. Als je nog meer online sociale en zakelijke netwerken in je regio wilt ontdekken, koop dan An's boek.

Opmerking: omdat de online wereld zo snel verandert, zal het aantal gebruikers in onderstaande tabel ook zijn veranderd op het moment dat je dit leest. Ook kunnen sommige websites nieuwe functionaliteiten hebben toegevoegd, waardoor mijn beoordeling anders zou kunnen zijn dan hieronder beschreven.

Ecademy

URL	www.ecademy.com
Omschrijving	Ecademy is een sociale ZAKELIJKE community. Dit betekent dat de nadruk ligt op de zakelijke kant. Er is echter ook ruimte voor de meer persoonlijke kant, zodat leden elkaar als 'hele persoon' kunnen ontmoeten. Het is het meest sociale zakelijke netwerk op dit moment. Centraal in de gebruikerservaring op de website zijn de open en gesloten clubs waar leden elkaar kunnen helpen. In vele regio's vormen de netwerkbijeenkomsten en evenementen die de plaatselijke vertegenwoordigers organiseren een meerwaarde op het lidmaatschap. Leden geven aan dat deze combinatie van online en offline netwerken voor hen het verschil uitmaakt.
Aantal gebruikers	300.000

Doelgroep	Vooral eigenaren van kleine en middelgrote bedrijven en freelancers
Regionale focus	Mondiaal
Soorten lidmaat-schappen	Gratis basis lidmaatschap PowerNetworker (maandelijkse bijdrage) Blackstar (levenslang lidmaatschap)
Land van oorsprong	Verenigd Koninkrijk
Opmerkingen	• Rijk aan functionaliteit, waar de gebruikers van het eerste uur blij mee zijn, maar die nieuwe gebruikers soms kan overweldigen. • De combinatie van online en offline networking is een grote plus!

Xing

URL	www.xing.com
Omschrijving	Xing is voornamelijk een zakelijk netwerk. Leden kunnen ook hun persoonlijke interesses opnoemen. Centraal bij de gebruikerservaring op deze website zijn de forums waarin leden elkaar kunnen helpen. In vele regio's vormen de netwerkbijeenkomsten en evenementen die de plaatselijke vertegenwoordigers organiseren een meerwaarde op het lidmaatschap. Leden geven aan dat deze combinatie van online en offline netwerken voor hen het verschil uitmaakt.
Aantal gebruikers	6,5 miljoen
Doelgroep	Alle professionals
Regionale focus	Mondiaal
Soorten lidmaat-schappen	Gratis basis lidmaatschap Premium membership (maandelijkse bijdrage)

Land van oorsprong	Duitsland
Opmerkingen	• De meertalige gebruikersinterface verlaagt de drempel om aan dit netwerk deel te nemen voor gebruikers die niet zo goed Engels spreken. Een nadeel hiervan voor sommige mensen is dat ze niet kunnen deelnemen aan de discussie op forums als ze niet de taal van de oprichter van dat forum spreken. • De combinatie van online en offline networking is een grote plus!

Viadeo

URL	www.viadeo.com
Omschrijving	Viadeo is voornamelijk een zakelijk netwerk. Leden kunnen ook hun persoonlijke interesses opnoemen. Centraal bij de gebruikerservaring op deze website zijn de forums waarin leden elkaar kunnen helpen. In vele regio's vormen de netwerkbijeenkomsten en evenementen die de plaatselijke vertegenwoordigers organiseren een meerwaarde op het lidmaatschap. Leden geven aan dat deze combinatie van online en offline netwerken voor hen het verschil uitmaakt.
Aantal gebruikers	4 miljoen
Doelgroep	Alle professionals
Regionale focus	Mondiaal
Soorten lidmaat-schappen	Gratis basis lidmaatschap Premium membership (maandelijkse bijdrage)
Land van oorsprong	Frankrijk

Opmerkingen	• De meertalige gebruikersinterface verlaagt de drempel om aan dit netwerk deel te nemen voor gebruikers die niet zo goed Engels spreken. Een nadeel hiervan voor sommige mensen is dat ze niet kunnen deelnemen aan de discussie op forums als ze niet de taal van de oprichter van dat forum spreken. • De combinatie van online en offline networking is een grote plus! • De helft van de leden bevindt zich in China.

Plaxo Pulse

URL	www.plaxo.com
Omschrijving	Plaxo Pulse is op het tijdstip van het schrijven van dit boek nog in de betaversie. Volgens de eigen website verschilt Plaxo Pulse van sociale en zakelijke netwerken, omdat het een platform wil zijn waar andere tools worden samengebracht, zodat mensen meer met elkaar kunnen delen en elkaar op de hoogte kunnen houden van wat ze aan het doen zijn. Veel mensen hebben al een account op dit platform omdat ze al gebruiker van de Plaxo Toolbar waren.
Aantal gebruikers	20 miljoen
Doelgroep	Alle professionals.
Regionale focus	Mondiaal
Soorten lidmaat-schappen	Gratis basis lidmaatschap Premium membership (maandelijkse bijdrage)
Land van oorsprong	Verenigde Staten

Opmerkingen	• Mijn mening: op het moment van dit schrijven nog geen echte toegevoegde waarde als sociaal of zakelijk netwerkplatform als je ook websites als LinkedIn gebruikt. • De Plaxo Toolbar voor je e-mailprogramma is een zeer nuttige tool. • Groot potentieel vanwege de grote gebruikersgroep.

Facebook

URL	www.facebook.com
Omschrijving	Facebook is een SOCIAAL (zakelijk) netwerk. Het begon als een platform voor studenten om hun persoonlijke interesses met elkaar te delen. Facebook is sindsdien exponentieel gegroeid. Meer en meer professionals hebben een account op deze website en ook meer en meer organisaties hebben hier virtuele clubs. Centraal in de gebruikerservaring op de website staan de interacties tussen leden (niet één op één, zoals bij andere websites, maar ook de mogelijkheid om de interacties tussen vrienden te zien) en de groepen, waarin leden elkaar kunnen helpen.
Aantal gebruikers	150 miljoen
Doelgroep	Iedereen
Regionale focus	Mondiaal
Soorten lidmaat-schappen	Gratis lidmaatschap
Land van oorsprong	Verenigde Staten

Opmerkingen	• De 'third party applications' maken Facebook bijzonder en zijn misschien wel de reden voor de exponentiële groei. Aan de andere kant zou dit ook weleens de reden kunnen worden waarom mensen de website niet langer willen gebruiken, omdat ze teveel uitnodigingen krijgen voor tijdverslindende spelletjes en quizzen. • Heeft een groot potentieel voor professionele interacties.

Ning

URL	www.ning.com
Omschrijving	Ning is een platform waar mensen hun eigen virtuele community kunnen creëren. In tegenstelling tot de andere netwerkplatforms, waar de gebruiker centraal staat, staat hier de community centraal. Centraal voor de gebruikerservaring op de website zijn de communities waarin de leden elkaar kunnen helpen.
Aantal gebruikers	250.000 communities (niet gebruikers)
Doelgroep	Iedereen
Regionale focus	Mondiaal
Soorten lidmaat-schappen	Gratis lidmaatschap
Land van oorsprong	Verenigde Staten
Opmerkingen	• De beperkte profielinformatie 'dwingt' mensen om ook lid te worden van andere sites. • Gemakkelijk om je eigen community te creëren.

Netwerklounge

URL	www.netwerklounge.be
Omschrijving	Netwerklounge is de virtuele community van de Belgische organisatie Business Netwerk Cafe. Hoewel het een tamelijk kleine community is, wil ik hem hier toch noemen, omdat veel lezers van dit boek uit mijn vaderland België zullen komen. Centraal voor de gebruikerservaring op de website zijn de interacties tussen leden voor en na evenementen en de forums waarin leden elkaar kunnen helpen.
Aantal gebruikers	5500
Doelgroep	Alle professionals
Regionale focus	België
Soorten lidmaat-schappen	Gratis lidmaatschap
Land van oorsprong	België
Opmerkingen	In de eerste plaats faciliteert de website de contacten met de andere deelnemers aan de (gratis) evenementen van Business Netwerk Cafe, maar staat ook open voor anderen.

De auteur Jan Vermeiren

Jan Vermeiren is in België (en ver daarbuiten) dé specialist i.v.m. netwerken en referrals en volgens HR Tribune één van de top 10 sprekers uit België.

Samen met zijn team van Networking Coach geeft Jan niet enkel presentaties, trainingen, workshops en persoonlijke coaching op het vlak van netwerken en referrals, maar hij adviseert organisaties ook hoe het netwerken te stimuleren op hun evenementen en hoe netwerken te integreren in hun verkoops- en aanwervingstrategie.

Daarnaast wordt hij ook regelmatig over de onderwerpen netwerken en referrals geïnterviewd door o.a. de Belgische televisie (de Zevende Dag, Lichtpunt), Vacature, de Tijd, Kanaal Z, Bizz, Jobat en het Ingenieursblad.

Jan is de auteur van de netwerk boeken 'Let's Connect!' en 'Hoe LinkedIn nu ECHT gebruiken', de CD 'Let's Connect op een evenement' en de Everlasting Referrals Home Study Course.

De Amerikaanse versie van' Let's Connect!' was trouwens een best seller op Amazon met als hoogste plaats tot nu toe nummer 2 bij marketing boeken en nummer 9 bij management boeken. Jan is de eerste Belgische auteur die daarin geslaagd is.

Jan en zijn team werken zowel voor grote internationale bedrijven zoals Alcatel, Delta Lloyd Bank, Deloitte, IBM, ING, Mobistar, Nike, SAP en Sun als voor kleine bedrijven en freelancers.

Jan is tevens gastdocent bij verschillende hogescholen en universiteiten waaronder de International MBA programma's van Vlerick Leuven Gent Management School (België) en RSM Erasmus Universiteit Rotterdam (Nederland).

Andere boeken en websites

Van dezelfde auteur

- Vermeiren Jan, Let's Connect!
- Vermeiren Jan, Let's Connect op een evenement (CD)
- Vermeiren Jan, Everlasting Referrals Home Study Course

Boeken die worden genoemd in dit boek

- Alba Jason, I'm on LinkedIn, now what?
- Allen Scott en Teten David, The Virtual Handshake
- Baker Wayne, Networking Smart
- Burg Bob, Endless Referrals
- Burg Bog, The Go Giver
- Butow Eric and Taylor Kathleen, How to Succeed in Business using LinkedIn
- Comaford-Lynch Christine, Rules for Renegades
- Covey Stephen MR, The Speed of Trust
- De Jonghe An, Social Networks Around The World
- Elad Joel, LinkedIn for Dummies
- Fisher Donna, People Power
- Valkenburg Jacco, Recruitment via LinkedIn

Enkele websites die superconnectors groeperen of extra informatie geven over LinkedIn

- TopLinkedIn: http://www.toplinkedin.com
- TopLinkedIn Discussion Group: http://finance.groups.yahoo.com/group/TOPLINKEDIN
- LIONS: http://finance.groups.yahoo.com/group/linkedinlions
- MLPF: http://www.mylinkedinpowerforum.com
- MyLink500: http://mylink500.com
- MyLinkWiki: http://toplinkedin.pbwiki.com
- LinkedIntelligence: http://www.linkedintelligence.com
- MyLinkSearch: http://www.mylinksearch.com

Andere producten en diensten van Networking Coach

Anders dan andere trainingsbedrijven zijn Jan Vermeiren en het team van Networking Coach gespecialiseerd in de onderwerpen online en offline networking en referrals. We doen dus niets anders (maar willen je graag in contact brengen met een specialist uit ons netwerk als je naar iets anders op zoek bent).

Producten

- **Gratis networking e-course:** www.networking-coach.com
- **Netwerk boek en bestseller 'Let's Connect!** Geef je carrière of bedrijf vleugels door succesvol te netwerken (gratis light versie op www.letsconnect.be)
- **Netwerk CD 'Let's Connect op een evenement**, 30 onmiddellijk toepasbare netwerk tips om van elk evenement een succes te maken (gratis light versie op www.networking-coach.com)
- **Everlasting Referrals Home Study Course:** hoe een netwerk van ambassadeurs te creëren dat klant na klant aanbrengt zodat je nooit meer koude acquisitie of koude prospectie hoeft te doen (www.everlasting-referrals.com)
- **Hoe LinkedIn nu ECHT gebruiken** (ja, dit boek ☺)

Diensten

Voor individuen:

- **Workshops en trainingen** (open formaat en op maat gemaakte in-company versies):
    - Introductiesessie netwerken of referrals (halve dag)
    - What's Your Sticky Story©? (halve dag)
    - Proactive Networker Training Course (twee dagen)
    - Everlasting Referrals Training Course (twee dagen, voor eigenaren van bedrijven, verkopers, account managers en andere commerciële profielen)
    - Power of Networking and Referrals Course (3 dagen, voor eigenaren van bedrijven, verkopers, account managers en andere commerciële profielen)
    - Smart Networking Training Course (3,5 dagen)

    - We bieden ook op maat gemaakte trainingen aan zowel in "klas formaat", als via teleseminars, webinars of een combinatie van deze formats.
- **(Interactieve) presentaties en keynote speeches,** enkele voorbeelden:
    - "Everlasting Referrals, Nooit Meer Koude Acquisitie/Prospectie". Wat zijn de 7 grootste redenen dat de meeste organisaties geen (spontane) doorverwijzingen krijgen en wat er aan te doen?
    - "Je Net Werkt". Hoe de kracht van je netwerk in te schakelen om je doelen (sneller) te bereiken?
    - "Wat is jouw Sticky Story©?" Hoe antwoord je op de vraag "En wat doe jij?" op een manier dat mensen je zullen herinneren.
    - "Help, ik heb een nieuwe baan nodig." Hoe de kracht van je netwerk in te schakelen om een nieuwe baan te vinden.
    - "Oh nee, weer een receptie." Hoe effectief, efficiënt en met plezier te netwerken op een receptie, congres of eender welk ander netwerk evenement.
    - "Hoe LinkedIn nu ECHT gebruiken". Hoe de juiste mensen vinden die je kunnen helpen je doel te bereiken en bij hen geïntroduceerd te worden m.b.v. LinkedIn (toegepast op nieuwe klanten, nieuwe baan, nieuwe medewerkers, leveranciers, expertise,...)

Gedetailleerde omschrijvingen en een kalender van open trainingen en seminars kan je vinden op www.networking-coach.com.

Voor organisaties:

- Interactieve presentaties en keynote speeches (zie boven)
- Strategisch advies over hoe netwerken en referrals te integreren in een verkoopsstrategie
- Strategisch advies over hoe netwerken en referrals integreren in een aanwervingstrategie
- Advies over het stimuleren van netwerken tussen de deelnemers van een netwerkevenement

Referenties:

Dit zijn enkele van de **bedrijven en professionele organisaties** waarvoor het team van Networking Coach heeft gewerkt:

Accenture, Agoria, Alcatel, Antwerp Diamond Bank, Belgacom, BIASS, Bosch, Colruyt, CTG, Deloitte, Delta Lloyd Bank, Dexia, Dupont, Eandis, ECM Congres (European Cities Marketing), EDS, Ernst & Young, Euphony, Fortis, Gemeente Den Haag, Getronics, IBM, ING, Janssen Farmaceutica, Johnson Controls, KBC, Leaseplan, Mobistar, MOVI, Nationale Bank van België, Nike, Partena, Resources Global Professionals, SAP, SD Worx, Securex, Siemens, SOFIA, Stad Gent, Stichting Kwaliteitskring Limburg, Stichting Marketing, Sun Microsystems, Telenet, TNT, TvZ-congres, Unisys, Unizo, USG People, Van Breda Risks & Benefits, VIK, VKW, Vlaamse Overheid Bestuurszaken, VMA, VOKA, VVSG, Women and Network en vele eigenaren van kleine bedrijven en freelancers.

Dit zijn enkele van de **universiteiten, alumni organisaties en non-profit organisaties** waarvoor het team van Networking Coach heeft gewerkt:

Aiesec, Ehsal Alumni, RSM Erasmus International MBA Rotterdam, Hogeschool Arnhem Nijmegen Alumni, JCI (Junior Chamber International), Karel De Grote Hogeschool, Markant, Palliatieve Zorgen Netwerk, Provinciale Hogeschool Limburg, PSA Holland (Professional Speakers Association Holland), Solvay Business School Alumni, University of Antwerp Management School en Vlerick Leuven Management School International MBA.

Abonneer je ook op de maandelijkse e-nieuwsbrief met tips van Jan Vermeiren en collega netwerk- en referral experts uit de hele wereld (www.networking-coach.com).

Lees Jan's wekelijkse blog vol netwerk- en referral tips op www.janvermeiren.com.

Haal zelfs nog meer uit dit boek

Zoals ik reeds schreef, is een boek over een website altijd risicovol: het boek kan al verouderd zijn op het moment dat het uitkomt. Maar voor mij is het belangrijk dat je het meeste uit dit boek en uit LinkedIn haalt. Ik zal daarom de **bijgewerkte onderdelen** van dit boek en extra tips publiceren zodra er iets verandert of ik nieuwe inzichten krijg.

Om deze updates en een **LinkedIn Profile Self Assessment** om je eigen Profile te scoren gratis te ontvangen, kan je je registreren op www.hoe-linkedin-nu-echt-gebruiken.com/updates.html. Je krijgt dan ook gratis toegang tot een overzicht met nog meer hulpmiddelen die je kunnen helpen de kracht van je netwerk in te schakelen om je doelen te bereiken.

Om je te helpen nog meer uit dit boek te halen en nog betere resultaten te behalen, zijn we op LinkedIn de 'Global Networking Group' begonnen: (http://www.linkedin.com/groups?home=&gid=1393777). Deze Group staat open voor iedereen die de regels van deze Group wil volgen. Sluit je dus aan!

Als je echt het meeste wil halen uit je LinkedIn lidmaatschap, denk dan eens na over het aanschaffen van het **LinkedIn Power Package** of het **LinkedIn Personal Profiling Package**. Deze pakketten kunnen gevonden worden op: www.hoe-linkedin-nu-echt-gebruiken.com.

Waar wacht je nog op? Ga naar www.hoe-linkedin-nu-echt-gebruiken.com/updates.html en ervaar de kracht van netwerken via LinkedIn!